SELECTED POEMS

of

GIOVANNI PASCOLI

LONDON
Cambridge University Press
BENTLEY HOUSE, N.W. I

NEW YORK · TORONTO
BOMBAY · CALCUTTA · MADRAS
Macmillan

TOKYO
Maruzen Company Ltd

SELECTED POEMS

of

GIOVANNI PASCOLI

Edited by

G. S. PURKIS, M.A., Ph.D. (Lond.)

*Senior Modern Language Master at Colchester
Royal Grammar School*

CAMBRIDGE

AT THE UNIVERSITY PRESS

1938

PRINTED IN GREAT BRITAIN

PREFACE

The poems reprinted in this book are taken from the first four volumes only of Pascoli's Poetical Works. An equally good selection—of a somewhat different character—could be made from the remaining four volumes (not counting the posthumously published *Poesie Varie*), but it was found impossible to make a fully representative selection within the limits of a small volume. It is hoped that these poems may be useful as an introduction; they exhibit most of the features which are especially characteristic of Pascoli as a poet.

My thanks are due to Signorina A. M. Nanni of Bologna for her help in completing the Vocabulary.

G. S. P.

February 1938

CONTENTS

BIBLIOGRAPHICAL NOTE

ITALIAN POETICAL WORKS OF
GIOVANNI PASCOLI

MYRICAE, 1st ed. 1891; 2nd ed., considerably augmented, Jan. 1892; 3rd ed. 1894, containing the whole of *Il giorno dei morti* and a new preface.

PRIMI POEMETTI, 1904.

NUOVI POEMETTI, 1906. These two volumes constitute an expansion and rearrangement of the *Poemetti*, of which the 1st ed. appeared in 1897; 2nd ed., augmented, in 1900.

CANTI DI CASTELVECCHIO, 1903. Pascoli intended to publish a second volume of *Myricae*, containing *I Canti di San Mauro e di Castelvecchio*: nine pieces relating to San Mauro are included in this volume under the title *Il ritorno a San Mauro*.

POEMI CONVIVIALI, 1st ed. 1904; 2nd ed., augmented, 1905.

ODI E INNI, 1st ed. 1906; the 2nd (1907) and 3rd (1913) editions each contained additional poems.

POEMI ITALICI E CANZONI DI RE ENZIO, 1921. The three *Canzoni* had been published in separate volumes (1908–9); the three *Poemi italici* were published together in 1911.

POEMI DEL RISORGIMENTO, 1913.

POESIE VARIE, raccolte da Maria, 1912; 2nd ed. 1913, with many additional poems.

TRADUZIONI E RIDUZIONI, raccolte e ordinate da Maria, 1913.

PENSIERI E DISCORSI, 1907; a reprint, with additions, of *Miei Pensieri di Varia Umanità*, 1903, contains *Il Fanciullino*, *La Ginestra*, *L' Era nuova* and other lectures most valuable for the light which they throw on the poet's mind.

INTRODUCTION

I. THE POET'S LIFE

GIOVANNI PASCOLI was born on 31 December 1855 at San Mauro di Romagna, a large village barely two miles from the railway station of Savignano. His father, steward for Prince Torlonia of the neighbouring estate of "La Torre", was greatly respected in the district and had been mayor of San Mauro, but on 10 August 1867 he was assassinated—shot through the head—as he was driving home from Gatteo. The story of that last fatal drive is told in *Un ricordo* and *La cavalla storna* (*Canti di Castelvecchio*), and in the latter poem it is suggested that some particular person was suspected, but no culprit was ever brought to justice.

Giovanni was at that time in his twelfth year and his childhood had been very happy: with his brothers he had had the free run of the woods and fields of "La Torre" and the banks of the Rio Salto. He was the fourth of ten children of whom eight were living in 1867. But his father's murder marked the beginning of a series of calamities: his mother's health as well as that of the eldest daughter Margherita was affected; Margherita died of typhus on 13 November 1868, and his mother died about a month later. Luigi, the second son, died in 1871, and Giacomo, the eldest, died in 1876 leaving two young children who died soon after. By the time Giovanni was twenty-one, there only remained his younger brother Raffaele and two little sisters, Ida and Maria who were then in a convent at Sogliano.

With his three brothers Giovanni Pascoli had attended the Collegio Raffaello kept by the Scolopî (Friars of the *Scuole Pie*) at Urbino (1862-71). Here he received a thorough grounding in Latin, and began to show considerable promise.

He was studious and fond of reading, and his love of literature was awakened and stimulated chiefly, it seems, by one of his masters, Francesco Donati. For the "seconda liceale" Pascoli went to the "liceo" at Rimini (1871–2) and for the third year he went to Florence, again to one of the *Scuole Pie*. In 1873 he took the "licenza" at Cesena, probably in October, and in November he competed for a bursary offered by the City of Bologna. He has described the surprise and delight with which he heard that his name headed the list of successful candidates, and has also recorded his memories of Carducci on that occasion, the poet Carducci being then Professor of Italian Literature at Bologna.

He entered the University of Bologna as a student in the "facoltà filologica", taking Greek, Latin and Italian Literature and Ancient and Modern History. He seems to have worked steadily for nearly two years, but in July 1875 he did not sit for the examination.

It is not quite clear why Pascoli discontinued his regular studies just at this time. It would seem that the tragedy which had befallen his family weighed more heavily upon his mind as the years passed by and as he became more conscious of the great problems of human life and society. It is certain that he passed through a period of doubt and despondency, and he became involved in the socialist movement which was very strong in Bologna at that time. When Bonghi, the Minister of Education, visited the University in 1876, Pascoli took part in a hostile demonstration and for this he lost his bursary. In December of the same year Andrea Costa took him to a meeting of the "International" and he became an active member. Raffaele was living with him at this time, but he earned very little and the two brothers often went hungry.

When an attempt was made on the life of King Humbert at Naples in November 1878 Pascoli addressed to the would-be assassin an ode, *Ode a Passanante*, which he read in an anarchist meeting. But as he read it, he seems to have been struck by the thought of the relation between this attempt and the assassination of his own father. He tore the paper up and refused to say anything about it.

During the following months there were many clashes between the police and the socialists; on one of these occasions Pascoli was arrested, and remained in prison from 7 September to 22 December 1879. While in prison he meditated on the course of his life and on his association with the anarchists, but above all he thought of his dead parents and formed the resolve to do something which should bring more credit upon their name. As the eldest surviving member of the family, he determined to make a home for his two sisters.

Soon after he came out of prison he applied for readmission to the University, and he took the examination for the "licenza" in October 1880. He was allowed to take up the bursary again and successfully completed his course at the University in 1882.

In September of the same year he began to teach Latin and Greek in the "liceo" of Matera. Two years later he was transferred to Massa, and there at last he was able to make a modest home for his two sisters. In 1887 he was moved again to Leghorn, where he remained seven years, and it was while he was there that he became known throughout Italy as the author of *Myricae* (1891).

In January 1892 Pascoli published a second edition of *Myricae*, with the addition of a number of poems which he had at first considered of too intimate a nature to be given to the public. In this same year, the Academy of Amsterdam awarded him the Hoeufft medal for his Latin poem *Veianius*. In this annual competition for original Latin verse he won the prize fourteen times, and during the same period he also submitted many other poems which gained honourable mention.

A few years later, with the proceeds of some of the gold medals he had won, he was able to buy a house in the country. He had longed to get possession of the old home at San Mauro, but that had proved impossible; so he bought the

villa or "Castello" of Caprona at Castelvecchio di Barga in
the valley of the Serchio (Tuscany). He moved there in
September 1895 with his sister Maria, Ida having been married
during the same year. He was already attached to the house,
having spent the previous summer there, and he made it his
home for the rest of his life.

His duties took him far away, however. In October 1895 he
was appointed Professor Extraordinary of Greek and Latin
Grammar in the University of Bologna. Two years later he
went to Messina as Professor of Latin Literature. While he was
there he published his exposition of the *Divina Commedia*
(*Minerva oscura*, *Sotto il velame*, *La mirabile visione*), gave
several lectures which were afterwards published in a volume
Pensieri e discorsi, and compiled his Italian Anthologies for
schools: *Fior da fiore* and *Sul limitare*.

In 1903 he was transferred to the University of Pisa, and in
the following year published *Poemi Conviviali* and *Primi
Poemetti* (*Poemetti* had already appeared in 1897 and *Canti di
Castelvecchio* in 1903). Pascoli's reputation as a poet was now
firmly established, and when Carducci resigned the Chair of
Italian Literature at Bologna, Pascoli was invited to succeed
him (1905). After some hesitation he consented. It was
difficult to follow such a man as Carducci in that post, and
Pascoli, both as poet and teacher, had many critics. He produced
several further volumes of poetry, but after a few years his
health failed and he died on 6 April 1912.

II. HIS POETRY

It has been said, perhaps with truth, that Pascoli was the only
true Romantic poet that Italy has produced. Many of his
poems contain the direct expression of his own emotions and
indeed all his poetry is in some degree lyrical; he was pro-
foundly influenced by foreign poetry, especially French and
English, and he tried, under the influence (for example) of

Wordsworth and Victor Hugo, to describe simple homely people in a simple homely way, using dialect and the names of many common things which had never been mentioned in Italian poetry before; using moreover a rhythm or a variety of rhythms which seemed to disintegrate the verse-forms to which people were accustomed. But if he must be associated with a literary movement, he belongs rather to Symbolism, that late flowering (some would say decadence) of the Romantic Movement which was heralded in France by Baudelaire, developed by Mallarmé and his contemporaries, and is carried on to-day by Paul Valéry and others. However, Pascoli is too original and sincere a poet to count as a mere member of any "school" and his work is too varied and too individual to suit any ready-made label.

The poets who were in greatest favour in Italy at the time when Pascoli was growing up were Carducci and Leopardi. Apart from his remarkable experiments in reproducing Latin metres in Italian verse, Carducci remained, on the whole, faithful to the Italian classical tradition both in the style of his verse and in his manner of treating his subjects; only in a few poems do we find a more personal note and direct realistic description (e.g. *Il comune rustico, Pianto antico*), and these may be said to foreshadow Pascoli's manner. But against the great mass of Carducci's work, rather stiff, if not pompous in form, and steeped in erudition and literature, Pascoli was in complete reaction. He had a great admiration for Carducci, but in poetry he went quite a different way.

Leopardi, melancholy and disillusioned, was in spirit closely akin to the Romantic poets who were his contemporaries in France and England, but in form his poetry was classical: Pascoli inherited his melancholy, praised him for facing the problems raised by scientific materialism, but stoutly refused to accept his pessimism.

The literary influence which most deeply affected Pascoli was probably that of Edgar Allan Poe—whether directly or through the French Symbolists. He mentions Poe, together with Leopardi, as one who has attempted a new kind of poetry which seeks to make men fully conscious of the implications of certain scientific discoveries (*v.* Poe's *Eureka*), and Pascoli follows that lead in his so-called "poesia astronomica". The fundamental principles of Symbolism are to be found already expressed in Poe's writings (*The Philosophy of Composition, The Poetic Principle, Marginalia*) and his poems show an attempt to put the theory into practice. He insists especially on the musical element and on the suggestion of an undercurrent of sentiment and ideas, which constitutes a "mystic or secondary expression", and which it is the special function of poetry to produce. He also advocates strangeness, unexpectedness, and indefiniteness, pointing out that indefiniteness is an element of true musical expression. Pascoli's work exemplifies all these ideas. Poe's remarks on the use of a refrain, given in his explanation of how he composed *The Raven*, are exactly followed in Pascoli's use of refrains. There is only a probability that Pascoli knew these prose writings by Poe, but we know that he translated *The Bells* into Italian verse. What is more interesting still, is that his own well-known poem *Alba festiva* is a similar treatment of the same theme, but in an Italian setting and expressing his own sentiments. Pascoli also translated Wordsworth's *We are seven*, and his anthology *Sul limitare* contains translations from Hugo, Goethe, Shelley and Tennyson; while his works are full of reminiscences of French Romantic and Symbolist poets, and Greek and Latin authors. No poet, probably, shows traces of more varied literary influences, but none has made what he borrowed more thoroughly his own.

Other influences to which he was subject as a young man concern rather the development of his thought. The principal are positivism and socialism. Pascoli declared himself a positivist, and this explains his attempt to give poetic expression to some of the teachings of contemporary science: but his positivism never interfered with his intense awareness of the great mysteries which encompass and permeate our mortal life (*v.* in this collection: *I due fanciulli*, *Il focolare*, *Il ciocco*). He felt, as other poets of the nineteenth century had done, that the materialistic conception of the universe imposed by the science of his day was not the whole truth. But he did not simply ignore the problem; he sought a solution so earnestly and so restlessly that his works constitute the most complete poetical expression of the perplexity which characterized the thought of the nineteenth century. He did, however, achieve some peace of mind by accepting a partial solution, and this rests on the assumption that Nature—including human nature—is fundamentally *good*. He avoided Leopardi's pessimistic conclusion by believing that the thought of man's littleness and helplessness in the vast universe, together with the idea of the imminence of death will, of itself, make men better—will fan the spark of love which he discerned in human nature and which, he says, is slowly bringing about the transformation of *homo sapiens* into *homo humanus*. It is the duty of poets to present the results of scientific investigation in such a manner that they shall touch the heart and create moral values.

The same humanitarian sentiment and faith in human nature formed the basis of his socialism, which therefore resembled that of Saint-Simon. Though he took no active part in the movement after his imprisonment, he remained an adherent of the party. In lectures and in his poetry he taught that brotherly love is the remedy for all the evil in the world except what is beyond man's control; and that irremediable evil which is inherent in our natural destiny should strengthen a sense of brotherhood and a desire to help each other. "Credo nella carità!" he says, "...il certo e continuo incremento della pietà nel cuore dell' uomo." This is a remarkable affirmation for one whose whole life was overshadowed by his father's murder and its consequences in his family. His own natural goodness and gentleness were such that he was able to overcome all bitter revengeful feelings, and to pity the murderer especially when he thought of what the murderer's remorse

might be and how he might be appalled, as Pascoli himself
was, at the thought of annihilation:

Oh! tutto tutto tutto, mi pare che dica lo scellerato, fuorche l' an-
nullamento! L' ucciso nel nulla: l' uccisore nel nulla: non resta che il
delitto, senza castigo e senza perdono: incancellabile! irreparabile!
eterno! (L' era nuova, Pensieri e discorsi, pp. 124–5).

This brings us once more to his ideas of the moral value of
the poetry of the "new age", the poetry founded on science
which will make men *feel* the finality of death and the littleness and helplessness of man. He thus develops a kind of
religion which is explained in his lectures and prefaces and
finds clearer expression in his poems as time goes on. In the
earlier books it is only occasionally alluded to, and it is chiefly
with the earlier books that we are here concerned.

In his lecture *Il fanciullino* (Pensieri e discorsi), a remarkable
discourse on the poet as child (an idea which apparently
originated in Germany and was commonly held by the
Romantics), Pascoli tells how the poet looks out upon the
world with wonder and delight, seeing everything as if for the
first time. The first poems of *Myricae* are little sketches of
things seen in this way, recording the pleasure the poet takes in
the countryside and the life of simple country people. He says
they represent the moments of joy which he occasionally
experienced as he was recovering from the blow of his family
tragedy. *Primi poemetti* bears the motto "Paulo majora"
(from Virgil's fourth Eclogue: *v.* note on *Myricae*) and contains longer poems, the fruit of prolonged contemplation
during lengthening periods of serenity. An Italian critic has
characterized him as a "miniaturist" in *Myricae*, and in the
Poemetti a fresco painter. This is to view the poems merely
from the outside, as it were, and to miss, as most readers did at
first, the "mystic or secondary expression"; for when we
know, from the Prefaces and other sources, what the poet
suffered as a result of his father's murder, his mother's death
and the consequent disruption of the family, we realize the
import of those dark shadows which invade the bright world

of *Myricae*, and become aware of the strong undercurrent of personal sentiment which runs beneath the glittering stream of images. Many poems which at first sight appear to be merely descriptions of little scenes with their accompanying sounds and odours, are then found to be full of symbolism and highly charged with emotion.

This element is almost absent from much of the "georgico-idyllic" poetry, as it has been called, which constitutes a large part of the two volumes of *Poemetti*; but there is always present a sentiment of the goodness of Nature which desires to see man happy in carrying out simple homely tasks. There are also examples of resignation and sacrifice for the good of humanity (*Il vecchio castagno*). Here, also, we find the first expressions of that humanitarian religion described above (*I due fanciulli*, etc.) and the first examples of "poesia astronomica". We find also a perfect fusion of realism and symbolism, as in *Il vischio*.

Canti di Castelvecchio shows, on the whole, a return to the inspiration of *Myricae*, containing, however, a more direct expression of his feelings concerning his family tragedy than any he had written before, excepting *Il giorno dei morti* which was only added in the second edition of *Myricae*. The volume contains a considerable variety of poems, some continuing the idyllic strain of the *Poemetti*, many about birds (as also in *Poemetti*), some about plants, flowers and inanimate things (*La granata, Il girarrosto*). He has said that the poet should present not the appearance but the *essence* of things; therefore he makes these things talk to us and reveal as it were their inmost thoughts. But the dominant note of the book is memory of childhood, comprising pleasant memories of the life of fields and woods, sad memories of his own family, and sympathy for all poor abandoned children, especially babies, which represent the culmination of human helplessness.

It will be gathered from what has been said above that Pascoli makes use of all the technical innovations introduced by the Romantics. He also abandons all conventional poetic diction and uses the musical effects of the Symbolists. It is true that his favourite line is the "endecasillabo": this is the only kind of verse used in the two volumes of *Poemetti*, and the lines are generally arranged in "terza rima" (as in the *Divina Commedia*), but in groups or stanzas of varying length. However, by his distribution of the stress accents and the very frequent use of "run-on" lines he imparts to his verse a peculiar rhythm—a fluidity which admirably suits his melancholy mood. He very frequently ends a line with an adjective agreeing with a noun at the beginning of the following line, and occasionally he even splits a word between two lines (...lenta- mente; *Il libro, Primi poemetti*). It is remarkable, however, that in the "poesia astronomica" where the poet seeks to probe the mysteries of the universe, the verse is frequently more regular; the following lines:

> Sonava la zampogna pastorale.
> E Dio scendea la cerula pendice
> cercando in fondo dell' abisso astrale

forming the last tercet of *La pecorella smarrita*, are "endecasillabi", the first and third "a maiori", the second "a minori" (like the first tercet of the *Divina Commedia*), all with a regular alternation of stressed and unstressed syllables.

The volume *Canti di Castelvecchio* shows much greater variety in versification. *La fonte di Castelvecchio* is in Sapphic metre, and other poems use many different kinds of stanza composed of a varying number of lines, long and short. In this volume, too, Pascoli made very great use of dialect and onomatopœia, carrying the latter sometimes to the point of absurdity. It is possible that he was inclined to agree with his critics, for in *Poemi Conviviali*, treating classical subjects (mostly Greek), he returned to an exclusive use of the "endecasillabo".

MYRICAE

IL GIORNO DEI MORTI[1]

Io vedo (come è questo giorno, oscuro!),
vedo nel cuore, vedo un camposanto
con un fosco cipresso sul muro.

E quel cipresso fumido si scaglia
allo scirocco: a ora a ora in pianto   5
sciogliesi l' infinita nuvolaglia.

O casa di mia gente, unica e mesta,
o casa di mio padre, unica e muta,
dove l' inonda e muove la tempesta;

o camposanto che sì crudi inverni   10
hai per mia madre gracile e sparuta,
oggi ti vedo tutto sempiterni

e crisantemi. A ogni croce roggia
pende come abbracciata una ghirlanda
donde gocciano lagrime di poggia.   15

Sibila tra la festa lagrimosa
una folata, e tutto agita e sbanda.
Sazio ogni morto, di memorie, posa.

Non i miei morti. Stretti tutti insieme,
insieme tutta la famiglia morta,   20
sotto il cipresso fumido che geme,

stretti così come altre sere al foco
(urtava, come un povero, alla porta
il tramontano con brontolìo roco),

[1] Riproduzione autorizzata da *Myricae* di G. Pascoli. Livorno, R. Giusti, editore. 21a edizione. Lire 14.

piangono. La pupilla umida e pia   25
ricerca gli altri visi a uno a uno
e forma un' altra lagrima per via.

Piangono, e quando un grido ch' esce stretto
in un sospiro, mormora, Nessuno!...
cupo rompe un singulto lor dal petto.   30

Levano bianche mani a bianchi volti,
non altri, udendo il pianto disusato,
sollevi il capo attonito ed ascolti.

Posa ogni morto; e nel suo sonno culla
qualche figlio de' figli, ancor non nato.   35
Nessuno! i morti miei gemono: nulla!

— O miei fratelli! — dice Margherita,
la pia fanciulla che sotterra, al verno,
si risvegliò dal sogno della vita:

— o miei fratelli, che bevete ancora   40
la luce, a cui mi mancano in eterno
gli occhi, assetati della dolce aurora;

o miei fratelli! nella notte oscura,
quando il silenzio v' opprimeva, e vana
l' ombra formicolava di paura;   45

io veniva leggiera al vostro letto;
Dormite! vi dicea soave e piana:
voi dormivate con le braccia al petto.

E ora, io tremo nella bara sola;
il dolce sonno ora perdei per sempre   50
io, senza un bacio, senza una parola.

E voi, fratelli, o miei minori, nulla!...
voi che cresceste, mentre qui, per sempre,
io son rimasta timida fanciulla.

Venite, intanto che la pioggia tace,   55
se vi fui madre e vergine sorella:
ditemi: Margherita, dormi in pace.

Ch' io l' oda il suono della vostra voce
ora che più non romba la procella:
io dormirò con le mie braccia in croce.   60

Nessuno! — Dice; e si rinnova il pianto,
e scroscia l' acqua: un impeto di vento
squassa il cipresso e corre il camposanto.

— O figli — geme il padre in mezzo al nero
fischiar dell' acqua — o figli che non sento   65
più da tanti anni! un altro cimitero

forse v' accolse e forse voi chiamate
la vostra mamma, nudi abbrividendo
sotto le nere sibilanti acquate.

E voi le braccia dall' asil lontano   70
a me tendete, siccome io le tendo,
figli, a voi, disperatamente invano.

O figli, figli! vi vedessi io mai!
io vorrei dirvi che in quel solo istante
per un' intera eternità v' amai.   75

In quel minuto avanti che morissi,
portai la mano al capo sanguinante,
e tutti, o figli miei, vi benedissi.

Io gettai un grido in quel minuto, e poi
mi piansi il cuore: come pianse e pianse!   80
e quel grido e quel pianto era per voi.

Oh! le parole mute ed infinite
che dissi! con qual mai strappo si franse
la vita viva delle vostre vite.

Serba la madre ai poveri miei figli: 85
non manchi loro il pane mai, nè il tetto,
nè chi li aiuti, nè chi li consigli.

Un padre, o Dio, che muore ucciso, ascolta:
aggiungi alla lor vita, o benedetto,
quella che un uomo, non so chi, m' ha tolta.   90

Perdona all' uomo, che non so; perdona:
se non ha figli, egli non sa, buon Dio...
e se ha figlioli, in nome lor perdona.

Che sia felice; fagli le vie piane;
dàgli oro e nome; dàgli anche l' oblio;   95
tutto: ma i figli miei mangino il pane.

Così dissi in quel lampo senza fine;
vi chiamai, muto, esangue, a uno a uno,
dalla più grandicella alle piccine.

Spariva a gli occhi il mondo fatto vano.   100
In tutto il mondo più non era alcuno.
Udii voi soli singhiozzar lontano.—

Dice; e più triste si rinnova il pianto;
più stridula, più gelida, più scura
scroscia la pioggia dentro il camposanto.   105

— No, babbo, vive, vivono — Chi parla?
Voce velata dalla sepoltura,
voce nuova, eppur nota ad ascoltarla,

o mio Luigi, o anima compagna!
come ti vedo abbrividire al vento   110
che ti percuote, all' acqua che ti bagna!

come mutato! sembra che tu sia
un bimbo ignudo, pieno di sgomento,
che chieda, a notte, al canto della via.

.   .   .   .   .   .

Parlano i morti. Non è spento il cuore   115
nè chiusi gli occhi a chi morì cercando,
a chi non pianse tutto il suo dolore.

E or per quanto stridula di vento
ombra ne dividesse, a quando a quando
udrei, come da vivo, il tuo lamento,   120

o mio Giovanni, che vegliai, che ressi,
che curai, che difesi, umile e buono,
e morii senza che ti rivedessi!

Avessi tu provato di quell' ora
ultima il freddo, e or quest' abbandono,   125
gemendo a noi ti volgeresti ancora. —

— Ma se vivete, perchè, morti cuori,
solo è la nostra tomba illacrimata,
solo la nostra croce è senza fiori? —

Così singhiozza Giacomo: poi geme: 130
— Quando sola restò la nidïata,
Iddio lo sa, come vi crebbi insieme:

se con pia legge l' umili vivande
tra voi divisi, e destinai de' pani
il più piccolo a me ch' ero il più grande;   135

se ribevvi le lagrime ribelli
per non far voi pensosi del domani,
se il pianto piansi in me di sei fratelli;

se al sibilar di questi truci venti,
al rombar di quest' acque, io suscitava   140
la buona fiamma d' eriche e sarmenti;

e io, quando vedea rosso ogni viso,
e più rossi i più piccoli, tremava
sì, del mio freddo, ma con un sorriso.

Ma non per me, non per me piango; io piango 145
per questa madre che, tra l' acqua, spera,
per questo padre che desìa, nel fango;

per questi santi, o fratel mio, che vivi;
di cui morendo io ti dicea...ma era
grossa la lingua e forse non udivi. —   150

Io vedo, vedo, vedo un camposanto,
oscura cosa nella notte oscura:
odo quel pianto della tomba, pianto

d' occhi lasciati dalla morte attenti,
pianto di cuori cui la sepoltura   155
lasciò, ma solo di dolor, viventi.

L' odo: ora scorre libero: nessuno
può risvegliarsi, tanto è notte, il vento
è così forte, il cielo è così bruno.

Nessuno udrà. La povera famiglia   160
può piangere. Nessuno, al suo lamento,
può dire: Altro è mio figlio! altra è mia figlia!

Aspettano. Oh! che notte di tempesta
piena d' un tremulo ululo ferino!
Non s' ode per le vie suono di pesta.   165

Uomini e fiere, in casolari e tane,
tacciono. Tutto è chiuso. Un contadino
socchiude l' uscio del tugurio al cane.

Piangono. Io vedo, vedo, vedo. Stanno
in cerchio, avvolti dall' assidua romba.   170
Aspetteranno, ancora, aspetteranno.

I figli morti stanno avvinti al padre
invendicato. Siede in una tomba
(io vedo, io vedo) in mezzo a lor, mia madre.

Solleva ai morti, consolando, gli occhi,   175
e poi furtiva esplora l' ombra. Culla
due bimbi morti sopra i suoi ginocchi.

Li culla e piange con quelli occhi suoi,
piange per gli altri morti, e per sè nulla,
e piange, o dolce madre! anche per noi;   180

e dice: — Forse non veranno. Ebbene,
pietà! Le tue due figlie, o sconsolato,
dicono, ora, in ginocchio, un po' di bene.

Forse un corredo cuciono, che preme:
per altri: tutto il giorno hanno agucchiato,   185
hanno agucchiato sospirando insieme.

E solo a notte i poveri occhi smorti
hanno levato, a un gemer di campane;
hanno pensato, invidïando, ai morti.

Ora, in ginocchio, pregano Maria   190
al suon delle campane, alte, lontane,
per chi qui giunse, e per chi resta in via

là; per chi vaga in mezzo alla tempesta,
per chi cammina, cammina, cammina,
e non ha pietra ove posar la testa.   195

Pietà pei figli che tu benedivi!
In questa notte che non mai declina,
orate requie, o figli morti, ai vivi! —

O madre! il cielo si riversa in pianto
oscuramente sopra il camposanto.   200

ALBA FESTIVA[1]

Che hanno le campane,
che squillano vicine,
che ronzano lontane?

È un inno senza fine,
or d' oro, ora d' argento,   5
nell' ombre mattutine.

Con un dondolìo lento
implori, o voce d' oro,
nel cielo sonnolento.

Tra il cantico sonoro   10
il tuo tintinno squilla,
voce argentina — Adoro,

adoro — Dilla, dilla,
la nota d' oro — L' onda
pende dal ciel, tranquilla.   15

Ma voce più profonda
sotto l' amor rimbomba,
par che al desìo risponda:

la voce della tomba.

FESTA LONTANA[1]

Un piccolo infinito scampanìo
ne ronza e vibra, come d' una festa
assai lontana, dietro un vel d' oblio.

Là, quando ondando vanno le campane,
scoprono i vecchi per la via la testa   5
bianca, e lo sguardo al suol fisso rimane.

[1] Riproduzione autorizzata da *Myricae* di G. Pascoli. Livorno, R. Giusti, editore. 21a edizione. Lire 14.

Ma tondi gli occhi sgranano i bimbetti,
cui trema intorno il loro ciel sereno.
Strillano al crepitar de' mortaretti.
Mamma li stringe all' odorato seno.   10

IL CUORE DEL CIPRESSO[1]

I

O cipresso, che solo e nero stacchi
dal vitreo cielo, sopra lo sterpeto
irto di cardi e stridulo di biacchi:

in te sovente, al tempo delle more,
odono i bimbi un pispillìo secreto,   5
come d' un nido che ti sogni in cuore.

L' ultima cova. Tu canti sommesso
mentre s' allunga l' ombra taciturna
nel tristo campo: quasi, ermo cipresso,
ella ricerchi tra que' bronchi un' urna.   10

II

Più brevi i giorni, e l' ombra ogni dì meno
s' indugia e cerca, irrequïeta, al sole;
e il sole è freddo e pallido il sereno.

L' ombra, ogni sera prima, entra nell' ombra:
nell' ombra ove le stelle errano sole.   15
E il rovo arrossa e con le spine ingombra

tutti i sentieri, e cadono già roggie
le foglie intorno (indifferente oscilla
l' ermo cipresso), e già le prime pioggie
fischiano, ed il libeccio ulula e squilla.   20

[1] Riproduzione autorizzata da *Myricae* di G. Pascoli. Livorno, R. Giusti, editore. 21a edizione. Lire 14.

III

E il tuo nido? il tuo nido?...Ulula forte
il vento e t' urta e ti percuote a lungo:
tu sorgi, e resti; simile alla Morte.

E il tuo cuore? il tuo cuore?...Orrida trebbia
l' acqua i miei vetri, e là ti vedo lungo,   25
di nebbia nera tra la grigia nebbia.

e il tuo sogno? La terra ecco scompare:
la neve, muta a guisa del pensiero,
cade. Tra il bianco e tacito franare
tu stai, gigante immobilmente nero.   30

PRIMI POEMETTI

IL VISCHIO[1]

I

NON li ricordi più, dunque, i mattini
meravigliosi? Nuvole a' nostri occhi,
rosee di peschi, bianche di susini,

parvero: un' aria pendula di fiocchi,
o bianchi o rosa, o l' uno e l' altro: meli,
floridi peri, gracili albicocchi.

Tale quell' orto ci apparì tra i veli
del nostro pianto, e tenne in sè riflessa
per giorni un' improvvisa alba dei cieli.

Era, sai, la speranza e la promessa,
quella; ma l' ape da' suoi bugni uscita
pasceva già l' illusïone; ond' essa

fa, come io faccio, il miele di sua vita.

II

Una nube, una pioggia...a poco a poco
tornò l' inverno; e noi sentimmo chiusi,
per lunghi giorni, brontolare il fuoco.

Sparvero i bianchi e rossi alberi, infusi
dentro il nebbione; e per il cielo smorto
era un assiduo sibilo di fusi;

e piovve e piovve. Il sole (onde mai sorto?)
brillò di nuovo al suon delle campane:
tutto era verde, verde era quell' orto.

[1] Copyright by Casa Editrice Mondadori, Italy.

Dove le branche pari a filigrane?
Tutti i petali a terra. E su l' aurora
noi calpestammo le memorie vane   25

ognuna con la sua lagrima ancora.

III

Ricordi? Io dissi: "O anima sorella,
vivono! E tu saprai che per la vita
si getta qualche cosa anche più bella

della vita: la sua lieve fiorita   30
d' ali. La pianta che a' suoi rami vede
i mille pomi sizïenti, addita

per terra i fiori che all' oblio già diede....
Non però questa (io m' interruppi) questa
che non ha frutti ai rami e fiori al piede."   35

Stava senza timore e senza festa,
e senza inverni e senza primavere,
quella; cui non avrebbe la tempesta

tolto che foglie, nate per cadere.

IV

Albero ignoto! (io dissi: non ricordi?)   40
albero strano, che nel tuo fogliame
mostri due verdi e un gialleggiar discordi;

albero tristo, ch' hai diverse rame,
foglie diverse, ottuse queste, acute
quelle, e non so che rei glomi e che trame;   45

albero infermo della tua salute,
albero che non hai gemme fiorite,
albero che non vedi ali cadute;

albero morto, che non curi il mite
soffio che reca il polline, nè il fischio   50
del nembo che flagella aspro la vite…

ah! sono in te le radiche del vischio!

V

Qual vento d' odio ti portò, qual forza
cieca o nemica t' inserì quel molle
piccolo seme nella dura scorza?   55

Tu non sapevi o non credevi: ei volle:
ti solcò tutto con sue verdi vene,
fimo si fece delle tue midolle!

E tu languivi; e la bellezza e il bene
t' uscia di mente, nè pulsar più fuori   60
gemme sentivi di tra il tuo lichene.

E crebbe e vinse; e tutti i tuoi colori,
tutte le tue soavità, col suco
de' tuoi pomi e il profumo dei tuoi fiori,

sono una perla pallida di muco.   65

VI

Due anime in te sono, albero. Senti
più la lor pugna, quando mai t' affisi
nell' ozïoso mormorio dei venti?

Quella che aveva lagrime e sorrisi,
che ti ridea col labbro de' bocciuoli,   70
che ti piangea dai palmiti recisi,

e che d' amore abbrividiva ai voli
d' api villose, già sè stessa ignora.
Tu vivi l' altra, e sempre più t' involi

da te, fuggendo immobilmente; ed ora 75
l' ombra straniera è già di te più forte,
più te. Sei tu, checchè gemmasti allora,

ch' ora distilli il glutine di morte.

LA QUERCIA CADUTA[1]

Dov' era l' ombra, or sè la quercia spande
morta, nè più coi turbini tenzona.
La gente dice: Or vedo: era pur grande!

Pendono qua e là dalla corona
i nidïetti della primavera. 5
Dice la gente: Or vedo: era pur buona!

Ognuno loda, ognuno taglia. A sera
ognuno col suo grave fascio va.
Nell' aria, un pianto...d' una capinera

che cerca il nido che non troverà. 10

L' AQUILONE[1]

C' è qualcosa di nuovo oggi nel sole,
anzi d' antico: io vivo altrove, e sento
che sono intorno nate le viole.

Son nate nella selva del convento
dei cappuccini, tra le morte foglie 5
che al ceppo delle quercie agita il vento.

Si respira una dolce aria che scioglie
le dure zolle, e visita le chiese
di campagna, ch' erbose hanno le soglie:

un' aria d' altro luogo e d' altro mese 10
e d' altra vita: un' aria celestina
che regga molte bianche ali sospese...

[1] Copyright by Casa Editrice Mondadori, Italy.

sì, gli aquiloni! È questa una mattina
che non c'è scuola. Siamo usciti a schiera
tra le siepi di rovo e d' albaspina.   15

Le siepi erano brulle, irte; ma c'era
d' autunno ancora qualche mazzo rosso
di bacche, e qualche fior di primavera

bianco; e sui rami nudi il pettirosso
saltava, e la lucertola il capino   20
mostrava tra le foglie aspre del fosso.

Or siamo fermi: abbiamo in faccia Urbino
ventoso; ognuno manda da una balza
la sua cometa per il ciel turchino.

Ed ecco ondeggia, pencola, urta, sbalza,   25
risale, prende il vento; ecco pian piano
tra un lungo dei fanciulli urlo s' inalza.

S' inalza; e ruba il filo dalla mano,
come un fiore che fugga su lo stelo
esile, e vada a rifiorir lontano.   30

S' inalza; e i piedi trepidi e l' anelo
petto del bimbo e l' avida pupilla
e il viso e il cuore, porta tutto in cielo.

Più su, più su: già come un punto brilla
lassù lassù....Ma ecco una ventata   35
di sbieco, ecco uno strillo alto... — Chi strilla?

Sono le voci della camerata
mia: le conosco tutte all' improvviso,
una dolce, una acuta, una velata....

A uno a uno tutti vi ravviso,   40
o miei compagni! e te, sì, che abbandoni
su l' omero il pallor muto del viso.

Sì: dissi sopra te l' orazïoni,
e piansi: eppur, felice te che al vento
non vedesti cader che gli aquiloni!   45

Tu eri tutto bianco, io mi rammento:
solo avevi del rosso nei ginocchi,
per quel nostro pregar sul pavimento.

Oh! te felice che chiudesti gli occhi
persuaso, stringendoti sul cuore   50
il più caro dei tuoi cari balocchi.

Oh! dolcemente, so ben io, si muore
la sua stringendo fanciullezza al petto,
come i candidi suoi pètali un fiore

ancora in boccia! O morto giovinetto,   55
anch' io presto verrò sotto le zolle,
là dove dormi placido e soletto....

Meglio venirci ansante, roseo, molle
di sudor, come dopo una gioconda
corsa di gara per salire un colle!   60

Meglio venirci con la testa bionda,
che poi che fredda giacque sul guanciale,
ti pettinò co' bei capelli a onda

tua madre...adagio, per non farti male.

IL VECCHIO CASTAGNO[1]

I

...Viola!...Violetta!...
Non la vedi costì? C' è da stamani.
Ce l' ha lasciata il caro zio. L' accétta!

La piglia su, domani, oggi, a due mani,
e picchia giù. Dove ella picchia, guai   5
a quei frassini! tristi quelli ontani!

[1] Copyright by Casa Editrice Mondadori, Italy.

e quei castagni! Non credevi mai,
Violetta? Lo credo! Ero il più grande!
Sono il più vecchio. Ella è per me: vedrai.

Si sa: la quercia deve dar le ghiande,   10
e il fico i fichi, ed il castagno i cardi.
Vivande, noi, solo il rosaio, ghirlande!

E i cardi son più pochi, ora, e se guardi,
non son più pieni, ch' io non ho più forza.
Io ho la lupa. Ho messo poco e tardi.   15

Il vecchio re sente impassir la scorza.

II

E mi ricordo ch' ero il più piccino
del branco, quando venni qua; di tutto
quello d' allora. Io, sai, nacqui a bacino,

di là del Rio. Di là crescevo sdutto,   20
lungo, con molta frasca e molte polle.
All' ombra, messa tanta e poco frutto!

Qui, posto al sole, in cima in cima al colle,
mi dava noia, i primi anni, l' asprura.
Bramavo quel bel fresco, quel bel molle.   25

Ma poi con gli anni feci tiglia dura,
e il sole amai, che vaporava il fiato
nella florida mia capellatura.

A un fin di verno, un uomo col pennato
mi cuccò tutto per filo e per segno!   30
E io restai pulito e dicapato,

con due mazzette tra la buccia e il legno.

III

Vedi i due rami dalle mille vette,
anzi il doppio grande albero che porto
sul tronco? Sono quelle due mazzette.   35

Chè venne aprile, e io sentiva, assòrto,
dalle mie fibre risalire il succhio
cercando in alto ciò che m' era morto:

ciò che non era, là di lì, che un mucchio
di verghe dalla lunga acqua percosse,   40
cui s' attorceva l' ellera e il vilucchio.

Ma io sognava tuttavia che fosse
sopra il mio fusto, e che mettesse i fiocchi
verdicci dalle sue vermelle rosse.

Io mi spingeva tutto verso gli occhi   45
che non avevo; io mi gettava verso
il mio passato. C' era quei due brocchi.

Li empii di me: ma mi sentii diverso.

IV

Più dolce, o bimba, mi sentii: più manso.
Con gli anni feci le castagne. Alcuna   50
ce n' è nei cardi. Cerca. A te le canso.

Le canso a te, mia pastorella bruna
che vieni qui per cogliere, e due volte
in cielo fare qui vedrai la luna.

Son mondinelle; tu le sai, n' hai colte.   55
Mòndano bene. Esce da sè pulita
la carne, il buono, dalle vesti sciolte.

Tu le mondi per gli altri con le dita
svelte, seduta al fuoco, sul pannello.
Gli uomini stanno muti alla partita.   60

Quei giorni di novembre, che fa bello,
che si colma la botte del buon vino,
che, con indosso mezzo il suo mantello,

mezzo tra freddo e caldo è San Martino!...

V

Da quanti inverni vivo qui sublime!   65
E vidi tante creature bionde
venir su l' alba a cogliere le prime,

che poi con gli anni, esciti non so donde,
io li vedeva curvi bianchi tristi
ruspare lì nei mucchi delle fronde,   70

l' ultime. All' ultimo, io non li ho rivisti.
Non ne so nulla. So che i coglitori
vengono e vanno, come tu venisti

e....Ma quello che sempre, ai dì peggiori,
anche ho veduto, sia che nella bruma   75
la pioggia scrosci e che la neve sfiori,

è il fiato che nell' aria fredda fuma
dalla lor casa, il caldo alito, quando
il vecchio tramontano anche lui ruma

qua ne' frondai gridando e farfugliando....   80

VI

O fiamma allegra, che scricchioli e schiocchi,
scaldando i mesti vecchi, i bimbi savi,
da noi li avesti cioccatelle e ciocchi!

O casa buona, messa su dagli avi,
che pari il freddo, e brilli nella notte,   85
da noi li avesti travicelli e travi!

O mamma, che il laveggio ora o le cotte
metti all' uncino o sopra i capitoni,
da noi li avesti i necci e le ballotte!

O babbo, che nel mezzo al desco poni   90
il vinetto che sente un po' di rame,
da noi li avesti i pali ed i forconi!

E tu che mugli, mugli tu per fame
o per freddo, vacchina dello stento?
E da noi abbi i vincigli e lo strame...   95

mentre noi qui rabbrividiamo al vento.

VII

Io ne godeva. Io amo chi mi coglie.
Ora, capanna casa fuoco vigna,
non do più frutto nè legna nè foglie.

Ora l' accétta scoprirà maligna   100
i miei segreti. Ho dentro me dei bruchi
d' oro, che fanno, come uva, la pigna.

Aveva dentro, qua e la, nei buchi,
altri alati che nero di tra il musco
sporgeano il capo allo svolar dei fuchi.   105

Oh! da quanti anni sento nel mio rusco
sempre ronzare, e sempre nella state
cantarellare odo tra lusco e brusco!

Oh! scoprirà l' accétta, abbandonate
sopra lane di pioppi e ragnatele,   110
ovine acquide, avanzi di covate

di cinciallegre, e un gran favo di miele.

VIII

Quanto a me....Quanto a me, mi schiapperanno
per il metato. Prima lì nel mezzo
due ciocchi soli col pulacchio d' anno;   115

poi tutto v' entrerò pezzo per pezzo.
Le castagne seccate col castagno
vengono bianche e sono di più prezzo.

Ecco, il nostro fruttato io l' accompagno
anche in morte, morendo a poco a poco,   120
e di me l' uomo ha l' ultimo guadagno.

Mi sfarò piano, non sprizzerò fuoco,
non farò vampa; adagio, come deve
un buon castagno vecchio che sa il giuoco.

Poi nel dì che si canta che si beve   125
che si picchia su l' aia del metato,
non sarò più. Sarò cenere, lieve

cenere, buona per il tuo bucato.

IX

E il ceneraccio, al prato!...Odimi. Il fusto
è marcio, e non può darsi che ributti.   130
Gli dia l' accétta e l' accéttino. È giusto.

Ma vedrai, nella ceppa, che tra tutti
lo zio ralleverà qualche novello
che viva e cresca, che riscoppi e frutti.

Fa che salvi codesto, così snello,   135
che se tu venga quando avrai marito,
tu dica: È come il padre; anzi più bello!

Codesto, sì, costì, presso il tuo dito,
dove ho picchiato il cardo....Oh! tuo zio!...Digli:
Questo novello come cresce ardito!   140

che speriamo, io e tu, che mi somigli!
che dia su me, non dia su lui, l' accétta!
Ti farà le mondine pe' tuoi figli.

Diglielo!... su...Viola! Violetta!

L' ACCESTIRE

LA SIEPE[1]

I

SIEPE del mio campetto, utile e pia,
   che al campo sei come l' anello al dito,
   che dice mia la donna che fu mia

(ch' io pur ti sono florido marito,
o bruna terra ubbidïente, che ami   5
chi ti piagò col vomero brunito...);

siepe che il passo chiudi co' tuoi rami
irsuti al ladro dormi 'l-dì; ma dài
ricetto ai nidi e pascolo a gli sciami;

siepe che rinforzai, che ripiantai,   10
quando crebbe famiglia, a mano a mano,
più lieto sempre e non più ricco mai;

d' albaspina, marruche e melograno,
tra cui la madreselva odorerà;
io per te vivo libero e sovrano,   15

verde muraglia della mia città.

[1] Copyright by Casa Editrice Mondadori, Italy.

II

Oh! tu sei buona! Ha sete il passaggero;
e tu cedi i tuoi chicchi alla sua sete,
ma salvi il frutto pendulo del pero.

Nulla fornisci alle anfore segrete   20
della massaia: ma per te, felice
ella i ciliegi popolosi miete.

Nulla tu rendi; ma la vite dice;
quando la poto all' orlo della strada,
che si sente il cucùlo alla pendice;   25

dice: — Il padre tu sei che, se t' aggrada,
sì mi correggi e guidi per il pioppo;
ma la siepe è la madre che mi bada —

— Per lei vino ho nel tino, olio nel coppo —
rispondo. I galli plaudono dall' aia;   30
e lieto il cane, che non è di troppo,

ch' è la tua voce, o muta siepe, abbaia.

III

E tu pur, siepe, immobile al confine,
tu parli; breve parli tu, chè, fuori,
dici un divieto acuto come spine;   35

dentro, un assenso bello come fiori;
siepe forte ad altrui, siepe a me pia,
come la fede che donai con gli ori,

che dice mia la donna che fu mia.

I DUE FANCIULLI[1]

I

Era il tramonto: ai garruli trastulli
erano intenti, nella pace d' oro
dell' ombroso viale, i due fanciulli.

Nel gioco, serio al pari d' un lavoro,
corsero a un tratto, con stupor de' tigli,   5
tra lor parole grandi più di loro.

A sè videro nuovi occhi, cipigli
non più veduti, e l' uno e l' altro, esangue,
ne' tenui diti si trovò gli artigli,

e in cuore un' acre bramosia di sangue,   10
e lo videro fuori, essi, i fratelli,
l' uno dell' altro per il volto, il sangue!

Ma tu, pallida (oh! i tuoi cari capelli
strappati e pésti!), o madre pia, venivi
su loro, e li staccavi, i lioncelli,   15

ed "A letto" intimasti "ora, cattivi!"

II

A letto, il buio li fasciò, gremito
d' ombre più dense; vaghe ombre, che pare
che d' ogni angolo al labbro alzino il dito.

Via via fece più grosse onde e più rare   20
il lor singhiozzo, per non so che nero
che nel silenzio si sentia passare.

[1] Copyright by Casa Editrice Mondadori, Italy.

L' uno si volse, e l' altro ancor, leggiero:
nel buio udì l' un cuore, non lontano
il calpestìo dell' altro passeggero.   25

Dopo breve ora, tacita, pian piano,
venne la madre, ed esplorò col lume
velato un poco dalla rosea mano.

Guardò sospesa; e buoni oltre il costume
dormir li vide, l' uno all' altro stretto   30
con le sue bianche aluccie senza piume;

e rincalzò, con un sorriso, il letto.

III

Uomini, nella truce ora dei lupi,
pensate all' ombra del destino ignoto
che ne circonda, e a' silenzi cupi   35

che regnano oltre il breve suon del moto
vostro e il fragore della vostra guerra,
ronzìo d' un' ape dentro il bugno vuoto.

Uomini, pace! Nella prona terra
troppo è il mistero; e solo chi procaccia   40
d' aver fratelli in suo timor, non erra.

Pace, fratelli! e fate che le braccia
ch' ora o poi tenderete ai più vicini,
non sappiano la lotta e la minaccia.

E buoni veda voi dormir nei lini   45
placidi e bianchi, quando non intesa,
quando non vista, sopra voi si chini

la Morte con la sua lampada accesa.

IL LIBRO[1]

I

Sopra il leggìo di quercia è nell' altana,
aperto, il libro. Quella quercia ancora,
esercitata dalla tramontana,

viveva nella sua selva sonora;
e quel libro era antico. Eccolo: aperto,   5
sembra che ascolti il tarlo che lavora.

E sembra ch' uno (donde mai? non, certo,
dal tremulo uscio, cui tentenna il vento
delle montagne e il vento del deserto,

sorti d' un tratto...) sia venuto, e lento   10
sfogli—se n' ode il crepitar leggiero —
le carte. E l' uomo non vedo io: lo sento,

invisibile, là, come il pensiero....

II

Un uomo è là, che sfoglia dalla prima
carta all' estrema, rapido, e pian piano   15
va dall' estrema, a ritrovar la prima.

E poi nell' ira del cercar suo vano
volta i fragili fogli a venti, a trenta,
a cento, con l' impaziente mano.

E poi li volge a uno a uno, lenta-   20
mente, esitando; ma via via più forte,
più presto, i fogli contro i fogli avventa.

[1] Copyright by Casa Editrice Mondadori, Italy.

Sosta.... Trovò? Non gemono le porte
più; tutto oscilla in un silenzio austero.
Legge?...Un istante; e volta le contorte 25

pagine, e torna ad inseguire il vero.

III

E sfoglia ancora; al vespro, che da nere
nubi rosseggia; tra un errar di tuoni,
tra un alïare come di chimere.

E sfoglia ancora, mentre i padiglioni 30
tumidi al vento l' ombra tende, e viene
con le deserte costellazïoni

la sacra notte. Ancora e sempre: bene
io n' odo il crepito arido tra canti
lunghi nel cielo come di sirene. 35

Sempre. Io lo sento, tra le voci erranti,
invisibile, là, come il pensiero,
che sfoglia, avanti indietro, indietro avanti,

sotto le stelle, il libro del mistero.

IL FOCOLARE[1]

I

È notte. Un lampo ad or ad or s' effonde,
e rileva in un gran soffio di neve
gente che va nè dove sa nè donde.

Vanno. Via via l' immensa ombra li beve.
E quale è solo e quale tien per mano 5
un altro sè dal calpestìo più breve.

[1] Copyright by Casa Editrice Mondadori, Italy.

E chi gira per terra l' occhio vano,
e chi lo volge al dubbio d' una voce,
e chi l' innalza verso il ciel lontano,

e chi piange, e chi va muto e feroce.   10

II

Piangono i più. Passano loro grida
inascoltate: niuno sa ch' è pieno,
intorno a lui, d' altro dolor che grida.

Ma vede ognuno, al guizzo d' un baleno,
una capanna sola nel deserto;   15
e dice ognuno nel suo cuore: Almeno

riposerò! Dal vagolare incerto
volgono a quella sotto l' aer bruno.
Eccoli tutti avanti l' uscio aperto

della capanna, ove non è nessuno.   20

III

Sono ignoti tra loro, essi, venuti
dai quattro venti al tacito abituro:
a uno a uno penetrano muti.

Qui non fa così freddo e così scuro!
dicono tra un sospiro ed un singulto   25
e si assidono mesti intorno al muro.

E dietro il muro palpita il tumulto
di tutto il cielo, sempre più sonoro:
gemono al buio, l' uno all' altro occulto;

tremano....Un focolare è in mezzo a loro.   30

IV

Un lampo svela ad or ad or la gente
mesta, seduta, con le braccia in croce,
al focolare in cui non è nïente.

Tremano: in tanto il bàttito veloce
sente l' un cuor dell' altro. Ognuno al fianco   35
trova un orecchio, trova anche una voce;

e il roseo bimbo è presso il vecchio bianco,
e la pia donna all' uomo: allo straniero
omero ognuno affida il capo stanco,

povero capo stanco di mistero.   40

V

Ed ecco parla il buon novellatore,
e la sua fola pendula scintilla,
come un' accesa lampada, lunghe ore

sopra i lor capi. Ed ecco ogni pupilla
scopre nel vano focolare il fioco   45
fioco riverberìo d' una favilla.

Intorno al vano focolare a poco
a poco niuno trema più nè geme
più: sono al caldo; e non li scalda il fuoco,

ma quel loro soave essere insieme.   50

VI

Sporgono alcuni, con in cuor la calma,
le mani al fuoco: in gesto di preghiera
sembrano tese l' una e l' altra palma.

I giovinetti con letizia intiera
siedon del vano focolare al canto,   55
a quella fiamma tiepida e non vera.

Le madri, delle mani una soltanto
tendono; l' altra è lì, sopra una testa
bionda. C' è dolce ancora un po' di pianto,

nella capanna ch' urta la tempesta.   60

VII

Oh! dolce è l' ombra del comun destino,
al focolare spento. Esce dal tetto
alcuno e va per suo strano cammino;

e la tempesta rompe aspro col petto
maledicendo; e qualche sua parola   65
giunge a quel mondo placido e soletto,

che veglia insieme; e il nero tempo vola
su le loro soavi anime assorte
nel lungo sogno d' una lenta fola;

mentre all' intorno mormora la morte.   70

NUOVI POEMETTI

LA PECORELLA SMARRITA[1]

I

"FRATE" una voce gli diceva: "è l' ora
che tu ti svegli. Alzati! La rugiada
è su le foglie, e viene già l' aurora."

Egli si alzava. "L' ombra si dirada
nel cielo. Il cielo scende a goccia a goccia.   5
Biancica, in terra, qua e là, la strada."

S' incamminava. "Spunta dalla roccia
un lungo stelo. In cima dello stelo,
grave di guazza pende il fiore in boccia."

S' inginocchiava. "Si dirompe il cielo!   10
Albeggia Dio! Plaudite con le mani,
pini de l' Hermon, cedri del Carmelo!"

Tre volte il gallo battea l' ali. I cani
squittìano in sogno. Le sei ali in croce
egli vedea di seraphim lontani.   15

Sentiva in cuore il rombo della voce.
Su lui, con le infinite stelle, lento,
fluiva il cielo verso la sua foce.

Era il dì del Signore, era l' avvento.
Spariva sotto i baratri profondi   20
colmi di stelle il tacito convento.

Mucchi di stelle, grappoli di mondi,
nebbie di cosmi. Il frate disse: "O duce
di nostra casa, vieni! Eccoci mondi."

In quella immensa polvere di luce   25
splendeano, occhi di draghi e di leoni,
Vega, Deneb, Aldebaran, Polluce....

E il frate udì, fissando i milïoni
d' astri, il vagito d' un agnello sperso
là tra le grandi costellazïoni   30

nella profondità dell' Universo....

II

E il dubbio entrò nel cuore tristo e pio.
"Che sei tu, Terra, perchè in te si sveli
tutto il mistero, e vi s' incarni Dio?

O Terra l' uno tu non sei, che i Cieli   35
sian l' altro! Non, del tuo Signor, sei l' orto
con astri a fiori, e lunghi sguardi a steli!

Noi ti sappiamo. Non sei, Terra, il porto
del mare in cui gli eterni astri si cullano...
un astro sei, senza più luce, morto: 40

foglia secca d' un gruppo cui trastulla
il vento eterno in mezzo all' infinito:
scheggia, grano, favilla, atomo, nulla!"

Così pensava: al sommo del suo dito
giungeva allora da una stella il raggio   45
che da più di mille anni era partito.

E vide una fiammella in un villaggio
lontano, a quelle di lassù confusa:
udì lontano un dolce suon selvaggio.

Laggiù da una capanna semichiusa   50
veniva il suono per la notte pura,
il dolce suono d' una cornamusa.

E risonava tutta la pianura
d' uno scalpiccìo verso la capanna:
forse pastori dalla lor pastura.   55

E il frate al suono dell' agreste canna
ripensò quelle tante pecorelle
che il pastor buono non di lor s' affanna:

tra i fuochi accesi stanno in pace, quelle,
sicure là su la montagna bruna;   60
e il pastor buono al lume delle stelle

quaggiù ne cerca intanto una, sol una....

III

"Sei tu quell' una, tu quell' una, o Terra!
Sola, del santo monte, ove s' uccida,
dove sia l' odio, dove sia la guerra;   65

dove di tristi lagrime s' intrida
il pan di vita! Tu non sei che pianto
versato in vano! Sangue sei, che grida!

E tu volesti Dio per te soltanto:
volesti che scendesse sconosciuto   70
nell' alta notte dal suo monte santo.

Tu lo volesti in forma d' un tuo bruto
dal mal pensiero: e in una croce infame
l' alzasti in vista del suo cielo muto."

In cielo e in terra tremulo uno sciame   75
era di luci. Andavano al lamento
della zampogna, e fasci avean di strame.

Ma il frate, andando, con un pio sgomento
toccava appena la rea terra, appena
guardava il folgorìo del firmamento: 80

quella nebbia di mondi, quella rena
di Soli sparsi intorno alla Polare
dentro la solitudine serena.

Ognun dei Soli nel tranquillo andare
traeva seco i placidi pianeti　　　　　　　　　85
come famiglie intorno al focolare:

oh! tutti savi, tutti buoni, queti,
persino ignari, colassù, del male,
che no, non s' ama, anche se niun lo vieti.

Sonava la zampogna pastorale.　　　　　　　90
E Dio scendea la cerula pendice
cercando in fondo dell' abisso astrale

la Terra, sola rea, sola infelice.

LA VERTIGINE[1]

Si racconta d' un fanciullo che aveva
perduto il senso della gravità...

I

Uomini, se in voi guardo, il mio spavento
cresce nel cuore. Io senza voce e moto
voi vedo immersi nell' eterno vento;

voi vedo, fermi i brevi piedi al loto,
ai sassi, all' erbe dell' aerea terra,　　　　　5
abbandonarvi e pender giù nel vuoto.

Oh! voi non siete il bosco, che s' afferra
con le radici, e non si getta in aria
se d' altrettanto non va su, sotterra!

[1] Copyright by Casa Editrice Mondadori, Italy.

Oh! voi non siete il mare, cui contraria   10
regge una forza, un soffio che s' effonde,
laggiù, dal cielo, e che giammai non varia.

Eternamente il mar selvaggio l' onde
protende al cupo; e un alito incessante
piano al suo rauco rantolar risponde.   15

Ma voi....Chi ferma a voi quassù le piante?
Vero è che andate, gli occhi e il cuore stretti
a questa informe oscurità volante;

che fisso il mento a gli anelanti petti,
andate, ingombri dell' oblio che nega,   20
penduli, o voi che vi credete eretti!

Ma quando il capo e l' occhio vi si piega
giù per l' abisso in cui lontan lontano
in fondo in fondo è il luccichìo di Vega...?

Allora io, sempre, io l' una e l' altra mano   25
getto a una rupe, a un albero, a uno stelo,
a un filo d' erba, per l' orror del vano!

a un nulla, qui, per non cadere in cielo!

II

Oh! se la notte, almeno lei, non fosse!
Qual freddo orrore pendere su quelle   30
lontane, fredde, bianche azzurre e rosse,

su quell' immenso baratro di stelle,
sopra quei gruppi, sopra quelli ammassi,
quel seminìo, quel polverìo di stelle!

Su quell' immenso baratro tu passi   35
correndo, o Terra, e non sei mai trascorsa,
con noi pendenti, in grande oblìo, dai sassi.

Io, veglio. In cuor mi venta la tua corsa.
Veglio. Mi fissa di laggiù coi tondi
occhi, tutta la notte, la Grande Orsa: 40

se mi si svella, se mi si sprofondi
l' essere, tutto l' essere, in quel mare
d' astri, in quel cupo vortice di mondi!

veder d' attimo in attimo più chiare
le costellazïoni, il firmamento   45
crescere sotto il mio precipitare!

precipitare languido, sgomento,
nullo, senza più peso e senza senso:
sprofondar d' un millennio ogni momento!

di là da ciò che vedo e ciò che penso,   50
non trovar fondo, non trovar mai posa,
da spazio immenso ad altro spazio immenso;

forse, giù giù, via via, sperar...che cosa?
La sosta! Il fine! Il termine ultimo! Io,
io te, di nebulosa in nebulosa,   55

di cielo in cielo, in vano e sempre, Dio!

LA MIETITURA

E LAVORO[1]

I

E il grano è bello. Ma non fu soltanto
la terra e il cielo, fu la nostra mano.
Chi prega è santo, ma chi fa, più santo.

E prima scelsi il seme del mio grano
tra il grano mio. Grani più duri e grossi   5
o più gentili non cercai lontano.

[1] Copyright by Casa Editrice Mondadori, Italy.

Altri grani, altre terre, ed altri fossi
ed altri conci. Il grano da sementa
non lo tribbiai nè macchinai, ma scossi.

Quando fu tempo, presi calce, spenta   10
da me, non vecchia; tal che, non appena
l' acqua la bagni, bulica e fermenta.

Ne feci latte, e in una cesta piena
v' immersi il grano, che un po' sempre molle,
quando sentii la lunga cantilena   15

di grilli e rane, sparsi sulle zolle.

II

Nè lavorato avevo a fondo: a fondo
avevo sì, ma pel granturco d' anno.
Il grano è meglio, e però vien secondo.

Sta pago il grano a quello che gli dànno.   20
Vuol sì la terra trita, ma non trita
tanto, chè, anzi, gli sarebbe a danno.

Non diedi al grano che mi dà la vita,
nemmeno il concio. Poco o nulla e' chiede
per far la spiga bella e ben granita.   25

Gli basta un po' del troppo che si diede
al formentone, che scialacqua e, grande
com' è, non pensa al piccoletto erede.

Ad ogni acquata egli s' inalza e spande,
si sogna d' essere albero, fa vanti   30
e sfoggi, e vuole intorno a sè ghirlande

di zucche e di fagioli rampicanti....

III

Dov' e' lasciò, grossi, pel fuoco, i gambi,
io questo grano seminai; non fitto;
e un sol governo valse per entrambi.   35

E visse e crebbe, pesto giallo afflitto....
Ma, or vedete: e' non s' alletta e sta.
È bello. Per tenere il capo ritto

giova la cara buona povertà!

I DUE ALBERI[1]

I

Vento dei Santi, il giorno si raccoglie
già per morire; e tu su' due gemelli
alberi soffi, e stacchi lor le foglie.

Ora le tocchi appena, ora le svelli:
quali cadono a una a una, quali   5
partono a branchi, come vol d' uccelli.

Tutta una fuga, quando tu li assali,
si fa nel cielo, e in terra, fra le zolle,
un fruscio grande, un vano tremor d' ali:

stridono e vanno, girano in un folle   10
vortice, frullano inquïete attorno,
calano con un abbandono molle.

A volte sembra muovano al ritorno,
a sbalzi....Ma, tu le riprendi, e porti
con te, via. Tutte son cadute e il giorno   15

è morto: tu lo sai, vento dei Morti!

[1] Copyright by Casa Editrice Mondadori, Italy.

II

Viene col vento un canto di preghiera
e di tristezza, e vanno via le foglie
con lui, stridendo in mezzo alla bufera:

"Noi di noi siamo le fugaci spoglie: 20
la nostra vita è sempre là dov' era.

Il vento in vano all' albero ci toglie:
là rinverzicheremo a primavera."

Col vento via le vane foglie vanno:
gemono, mentre intorno si fa sera.   25

"Non torneremo al rifiorir dell' anno:
noi ce n' andiamo avvolte nell' oblio.

Non fu la vita che un fugace inganno.
L' albero è morto. Addio per sempre! Addio!"

È morto il giorno, ed anche muor la sera,   30
ed anche muore il canto tristo e pio.
E il cielo splende su la terra nera.

III

Il vento trova la sua strada ingombra
di foglie e stelle. Gli alberi, sparito
è l' uno e l' altro. Io vedo una grande ombra.   35

Ne vedo un solo. All' animo lo addito,
l' albero solo. Spunta da un velame
di nebbia eterna, ed empie l' Infinito.

Protende le invisibili sue rame
cui sono appesi d' ogni parte i mondi.   40
Si crolla ad un grande alito il fogliame;

e d' un perenne tremolìo le frondi
lustrano ardenti. Alcuna cade e brilla
giù per gli abissi ceruli, profondi.

Io, sotto la corona, che sfavilla, 45
dell' Universo, odo, smarrito assòrto,
uno stridìo. Forse una foglia oscilla

ancora a un ramo dell' albero morto.

CANTI DI CASTELVECCHIO

LA POESIA[1]

I

IO sono una lampada ch' arda
    soave!
la lampada, forse, che guarda,
pendendo alla fumida trave,
    la veglia che fila;   5

e ascolta novelle e ragioni
    da bocche
celate nell' ombra, ai cantoni,
là dietro le soffici rócche
    che albeggiano in fila: 10

ragioni, novelle, e saluti
d' amore, all' orecchio, confusi:
gli assidui bisbigli perduti
nel sibilo assiduo dei fusi;
le vecchie parole sentite   15
da presso con palpiti nuovi,
tra il sordo rimastico mite
    dei bovi:

II

la lampada, forse, che a cena
    raduna;   20
che sboccia sul bianco, e serena
sull' ampia tovaglia sta, luna
    su prato di neve;

[1] Copyright by Casa Editrice Mondadori, Italy.

e arride al giocondo convito;
    poi cenna,   25
d' un tratto, ad un piccolo dito,
là, nero tuttor della penna
    che corre e che beve:

ma lascia nell' ombra, alla mensa,
la madre, nel tempo ch' esplora   30
la figlia più grande che pensa
guardando il mio raggio d' aurora:
rapita nell' aurea mia fiamma
non sente lo sguardo tuo vano;
già fugge, è già, povera mamma,   35
    lontano!

III

Se già non la lampada io sia,
    che oscilla
davanti a una dolce Maria,
vivendo dell' umile stilla   40
    di cento capanne:

raccolgo l' uguale tributo
    d' ulivo
da tutta la villa, e il saluto
del colle sassoso e del rivo   45
    sonante di canne:

e incende, il mio raggio, di sera,
tra l' ombra di mesta vïola,
nel ciglio che prega e dispera,
la povera lagrima sola;   50
e muore, nei lucidi albori,
tremando, il mio pallido raggio,
tra cori di vergini e fiori
    di maggio:

IV

o quella, velata, che al fianco   55
    t' addita
la donna più bianca del bianco
lenzuolo, che in grembo, assopita,
    matura il tuo seme;

o quella che irraggia una cuna   60
    — la barca
che, alzando il fanal di fortuna,
nel mare dell' essere varca,
    si dondola, e geme —;

o quella che illumina tacita   65
    tombe profonde — con visi
scarniti di vecchi; tenaci
di vergini bionde sorrisi;
tua madre!... nell' ombra senz' ore,
per te, dal suo triste riposo,   70
congiunge le mani al suo cuore
    già róso! —

V

Io sono la lampada ch' arde
    soave!
nell' ore più sole e più tarde,   75
nell' ombra più mesta, più grave,
    più buona, o fratello!

Ch' io penda sul capo a fanciulla
    che pensa,
su madre che prega, su culla   80
che piange, su garrula mensa,
    su tacito avello;

lontano risplende l' ardore
mio casto all' errante che trita
notturno, piangendo nel cuore,   85
la pallida via della vita:
s' arresta; ma vede il mio raggio
che gli arde nell' anima blando:
riprende l' oscuro vïaggio
    cantando.   90

NEBBIA[1]

Nascondi le cose lontane,
tu nebbia impalpabile e scialba,
tu fumo che ancora rampolli,
    su l' alba,
da' lampi notturni e da' crolli   5
    d' aeree frane!

Nascondi le cose lontane,
nascondimi quello ch' è morto!
ch' io veda soltanto la siepe
    dell' orto,   10
la mura ch' ha piene le crepe
    di valerïane.

Nascondi le cose lontane:
le cose son ebbre di pianto!
Ch' io veda i due peschi, i due meli,   15
    soltanto,
che dànno i soavi lor mieli
    pel nero mio pane.

Nascondi le cose lontane
che vogliono ch' ami e che vada!   20
Ch' io veda là solo quel bianco
    di strada,
che un giorno ho da fare tra stanco
    don don di campane....

[1] Copyright by Casa Editrice Mondadori, Italy.

Nascondi le cose lontane,   25
nascondile, involale al volo
del cuore! Ch' io veda il cipresso
    là, solo,
qui, solo quest' orto, cui presso
    sonnecchia il mio cane.   30

LE CIARAMELLE[1]

Udii tra il sonno le ciaramelle,
ho udito un suono di ninne nanne.
Ci sono in cielo tutte le stelle,
ci sono i lumi nelle capanne.

Sono venute dai monti oscuri   5
le ciaramelle senza dir niente;
hanno destata ne' suoi tuguri
tutta la buona povera gente.

Ognuno è sorto dal suo giaciglio;
accende il lume sotto la trave;   10
sanno quei lumi d' ombra e sbadiglio,
di cauti passi, di voce grave.

Le pie lucerne brillano intorno,
là nella casa, qua su la siepe:
sembra la terra, prima di giorno,   15
un piccoletto grande presepe.

Nel cielo azzurro tutte le stelle
paion restare come in attesa;
ed ecco alzare le ciaramelle
il loro dolce suono di chiesa;   20

suono di chiesa, suono di chiostro,
suono di casa, suono di culla,
suono di mamma, suono del nostro
dolce e passato pianger di nulla.

O ciaramelle degli anni primi,   25
d' avanti il giorno, d' avanti il vero,
or che le stelle son là sublimi,
conscie del nostro breve mistero;

che non ancora si pensa al pane,
che non ancora s' accende il fuoco;   30
prima del grido delle campane
fateci dunque piangere un poco.

Non più di nulla, sì di qualcosa,
di tante cose! Ma il cuor lo vuole,
quel pianto grande che poi riposa,   35
quel gran dolore che poi non duole;

sopra le nuove pene sue vere
vuol quei singulti senza ragione:
sul suo martòro, sul suo piacere,
vuol quelle antiche lagrime buone!   40

LA CANZONE DELLA GRANATA[1]

I

Ricordi quand' eri saggina,
  coi penduli grani che il vento
scoteva, come una manina
  di bimbo il sonaglio d' argento?

Cadeva la brina; la pioggia   5
  cadeva: passavano uccelli
gemendo: tu gracile e roggia
  tinnivi coi cento ramelli.

Ed oggi non più come ieri
  tu senti la pioggia e la brina,   10
ma sgrigioli come quand' eri
  saggina.

[1] Copyright by Casa Editrice Mondadori, Italy.

II

Restavi negletta nei solchi
    quand' ogni pannocchia fu colta:
te, colsero, quando i bifolchi   15
    v' ararono ancora una volta.

Un vecchio ti prese, recise,
    legò; ti privò della bella
semenza tua rossa; e ti mise
    nell' angolo, ad essere ancella.   20

E in casa tu resti, in un canto,
    negletta qui come laggiù;
ma niuno è di casa pur quanto
    sei tu.

III

Se t' odia colui che la trama   25
    distende negli alti solai,
l' arguta gallina pur t' ama,
    cui porti la preda che fai.

E t' ama anche senza, chè ai costi
    ti sbalza, ed i grani t' invola,   30
residui del tempo che fosti
    saggina, nei campi già sola.

Ma più, gracilando t' aspetta
    con ciò che in tua vasta rapina
le strascichi dalla già netta   35
    cucina.

IV

Tu lasci che t' odiino, lasci
   che t' amino: muta, il tuo giorno,
nell' angolo, resti, coi fasci
   di stecchi che attendono il forno.   40

Nell' angolo il giorno tu resti,
   pensosa del canto del gallo;
se al bimbo tu già non ti presti,
   che viene, e ti vuole cavallo.

Riporti, con lui che ti frena,   45
   le paglie ch' hai tolte, e ben più;
e gioia or n' ha esso; ma pena
      poi tu.

V

Sei l' umile ancella; ma reggi
   la casa: tu sgridi a buon' ora,   50
mentre impazïente passeggi,
   gl' ignavi che dormono ancora.

E quando tu muovi dal canto,
   la rondine è ancora nel nido;
e quando incomincia il suo canto,   55
   già ode per casa il tuo strido.

E l' alba il suo cielo rischiara,
   ma prima lo spruzza e imperlina,
così come tu la tua cara
      casina.   60

VI

Sei l' umile ancella, ma regni
  su l' umile casa pulita.
Minacci, rimproveri; insegni
  ch' è bella, se pura, la vita.

Insegni, con l' acre tua cura   65
  rodendo la pietra e la creta,
che sempre, per essere pura,
  si logora l' anima lieta.

Insegni, tu sacra ad un rogo
  non tardo, non bello, che più   70
di ciò che tu mondi, ti logori
    tu!

IL CIOCCO[1]

I

Il babbo mise un gran ciocco di quercia
su la brace; i bicchieri avvinò; sparse
il goccino avanzato; e mescè piano
piano, perchè non croccolasse, il vino.
Ma, presa l' aria, egli mesceva andante.   5
E ciascuno ebbe in mano il suo bicchiere,
pieno, fuor che i ragazzi; essi, al bicchiere
materno, ognuno ne sentiva un dito.
Fecero muti i vegliatori il saggio,
lodando poi, parlando dei vizzati   10
buoni; ma poi passarono allo strino,
quindi all' annata trista e tribolata.
E le donne ripresero a filare,
con la rócca infilata nel pensiere:

[1] Copyright by Casa Editrice Mondadori, Italy.

tiravano prillavano accoccavano   15
sfacendo i gruppi a or a or coi denti.
Come quando nell' umida capanna
le magre manze mangiano, e via via,
soffiando nella bassa greppia vuota,
alzano il muso, e dalla rastrelliera   20
tirano fuori una boccata d' erba;
d' erba lupina co' suoi fiori rossi,
nel maggio indafarito, ma nel verno,
d' arida paglia e tenero guaime;
così dalla mannella, ogni momento,   25
nuova tiglia guidata era nel fuso.
    Io dissi: "Brucia la capanna a gente!"
E i vegliatori, col bicchiere in mano
tutti volsero gli occhi alla finestra,
quasi a vedere il lustro della vampa,   30
ad ascoltare il martellare a fuoco,
ton ton ton, nella notte insonnolita.
Non c' era nella notte altro splendore
che di lontane costellazïoni,
e non c' era altro suono di campana,   35
se non della campana delle nove,
che da Barga ripete al campagnolo:
— Dormi, che ti fa bono! bono! bono! —
Non capparone ardeva per le selve,
zeppo di fronde aspre dal tramontano;   40
non meta di vincigli di castagno,
fatti d' agosto per serbarli al verno;
non metato soletto in cui seccasse
a un fuoco dolce il dolce pan di legno:
sopra le cannaiole le castagne   45
cricchiano, e il rosso fuoco arde nel buio.
Al buio il rio mandava un gorgoglìo,
come s' uno ci fosse a succhiar l' acqua.
Tutto era pace: sotto ogni catasta
sornacchiava il suo ghiro rattrappito.   50

In cima al colle un nero metatello
fumava appena in mezzo alla Grand' Orsa.
    Che bruciava?...La quercia, assai vissuta,
fu scalzata da molte opre, e fu svelta
e giacque morta. Ma la secca scorza,   55
all' acqua e al sole rifiorì di muschi;
e un' altra vita brulicò nel legno
che intarmoliva: un popolo infinito
che ben sapeva l' ordine e la legge,
v' impresse i solchi di città ben fatte.   60
E chi faceva nuove case ai nuovi,
e chi per tempo rimettea la roba,
e chi dentro allevava i dolci figli,
e chi portava i cari morti fuori.
    Quando s' udì l' ingorda sega un giorno   65
rodere rauca torno torno il tronco:
e il secco colpo rimbombò del mazzo
calato da un ansante ululo d' uomo.
E il tronco sodo ora sputava fuori
la zeppola d' acciaio con uno sprillo,   70
or la pigliava, e si sentiva allora
crepare il legno frangolo, e stioccare
le stiglie, or dalla gran forza strappate,
ora recise dalla liscia accetta:
lucida accetta che alzata a due mani   75
spaccava i ciocchi e ne facea le schiampe.
Le schiampe alcuno accatastò; poi altri
se le portò nella legnaia opaca.
    Del popolo infinito era una gente
rimasta in un dei ciocchi. Ebbe l' accetta   80
molte case distrutte, ebbe d' un colpo
il mazzo molte sue tribù schicciate.
Ma i sorvissuti non sapean già nulla:
chè volgendo i lor mille anni in un anno,
chi schivò l' ascia, chi campò dal mazzo,   85
l' ago sentì, che, dopo un po' che cuce,

il Tempo, uggito, punta nel lavoro,
e se ne va. Nessuno ora sapeva
che il mondo loro fu congiunto al tutto
della gran quercia sotto un cielo azzurro.   90
Sapeva ognuno che non c' era altr' aria
che quell' odor di mucido, altro suono
che il grave gracilar delle galline
e il sottile stridìo dei pipistrelli:
dei pipistrelli che pendeano a pigne   95
dai cantoni, nel giorno, quando il sole
facea passare i fili suoi tra i licci
d' una tela che ordiva un vecchio ragno.
Così passava la lor cauta vita
nell' odoroso tarmolo del ciocco: 100
e chi faceva nuove case ai nuovi,
e chi per tempo rimettea la roba,
e chi dentro allevava i dolci figli,
e chi portava i cari morti fuori.

    E videro l' incendio ora e la fine   105
i vegliatori: disse ognun la sua.

    .   .   .   .   .   .

    Così parlando, essi bevean l' arzillo
vino, dell' anno. E mille madri in fuga
correan pei muschi della scorza arsita,
coi figli, e c' era d' ogni intorno il fuoco;   110
e il fuoco le sorbiva con un breve
crepito, nè quel crepito giungeva
al nostro udito, più che l' erme vette
d' Appennino e le aguzze Alpi apuane,
assise in cerchio, con l' aeree grotte   115
intronate dal cupo urlo del vento,
odano lo stridor d' un focherello
ch' arde laggiù laggiù forse un villaggio
con le sue selve; un punto, un punto rosso
or sì or no. Nè pur vedea la gente   120

là, che moriva, i mostri dalla ferrea
voce e le gigantesse filatrici:
i mostri che reggean concavi laghi
di sangue ardente, mentre le compagne
con moto eterno, tra un fischiar di nembi,   125
mordean le bigie nuvole del cielo.
Ma non vedeva il popolo morente
gli dei seduti intorno alla sua morte,
fatti di lunga oscurità: vedeva,
forse in cima all' immensa ombra del nulla,   130
su, su, su, donde rimbombava il tuono
della lor voce, nelle occhiute fronti,
da un' aurora notturna illuminate,
guizzare i lampi e scintillar le stelle.

.   .   .   .   .   .

II

Ed il ciocco arse, e fu bevuto il vino   135
arzillo, tutto. Io salutai la veglia
cupo ronzante, e me ne andai: non solo:
m' accompagnava lo Zi Meo salcigno.
Era novembre. Già dormiva ognuno,
sopra le nuove spoglie di granturco.   140
Non c' era un lume. Ma brillava il cielo
d' un infinito riscintillamento.
E la Terra fuggiva in una corsa
vertiginosa per la molle strada,
e rotolava tutta in sè rattratta   145
per la puntura dell' eterno assillo.
E rotolando per fuggir lo strale
d' acuto fuoco che le ruma in cuore,
ella esalava per lo spazio freddo
ansimando il suo grave alito azzurro.   150
Così, nel denso fiato della corsa
ella vedeva l' iridi degli astri

sguazzare, e nella cava ombra del Cosmo
ella vedeva brividi da squamme
verdi di draghi, e svincoli da fruste   155
rosse d' aurighi, e lampi dalle freccie
de' sagittari, e sprazzi dalle gemme
delle corone, e guizzi dalle corde
delle auree lire; e gli occhi dei leoni
vigili e i sonnolenti occhi dell' orse.   160

  Noi scambiavamo rade le ginocchia
sotto le stelle. Ad ogni nostro passo
trenta miglia la terra era trascorsa,
coi duri monti e le maree sonore.
E seco noi riconduceva al Sole,   165
e intorno al Sole essa vedea rotare
gli altri prigioni, come lei, nel cielo,
di quella fiamma, che con sè li mena.
Come le sfingi, fosche atropi ossute,
l' acri zanzare e l' esili tignuole,   170
e qualche spolverìo di moscerini,
girano intorno una lanterna accesa:
una lanterna pendula che oscilla
nella mano d' un bimbo: egli perduta
la monetina in una landa immensa,   175
la cerca invano per la via che fece
e rifà ora singhiozzando al buio:
e nessun ode e vede lui, ch' è ombra,
ma vede e svede un lume che cammina,
nè par che vada, e sempre con lui vanno,   180
gravi ronzando intorno a lui, le sfingi:
lontan lontano son per tutto il cielo
altri lumi che stanno, ombre che vanno,
che per meglio vedere alzano in vano
verso le solitarie Nebulose   185
l' ardor di Mira e il folgorìo di Vega.

  Così pensavo; e non trovai me stesso
più, nè l' alta marmorea Pietrapana,

sopra un grano di polvere dell' ala
della falena che ronzava al lume: 190
dell' ala che in quel punto era nell' ombra;
della falena che coi duri monti
e col sonoro risciacquar dei mari
mille miglia in quel punto era trascorsa.
Ed incrociò con la sua via la strada   195
d' un mondo infranto, e nella strada ardeva,
come brillante nuvola di fuoco,
la polvere del suo lungo passaggio.
Ma niuno sa donde venisse, e quanto
lontane plaghe già battesse il carro   200
che senza più l' auriga ora sfavilla
passando rotto per le vie del Sole.
Nè sa che cosa carreggiasse intorno
ad uno sconosciuto astro di vita,
allora forse di su lui cantando   205
i viatori per la via tranquilla;
quando urtò, forviò, si spezzò, corse
in fumo e fiamme per gli eterei borri,
precipitando contro il nostro Sole,
versando il suo tesoro oltresolare: 210
stelle; che accese in un attimo e spente,
rigano il cielo d' un pensier di luce.
   Là, dove i mondi sembrano con lenti
passi, come concorde immensa mandra,
pascere il fior dell' etere pian piano,   215
beati della eternità serena;
pieno è di crolli, e per le vie, battute
da stelle in fuga, come rossa nube
fuma la densa polvere del cielo;
e una mischia incessante arde tra il fumo   220
delle rovine, come se Titani
aeriformi, agli angoli del Cosmo,
l' un l' altro ardendo di ferir, lo spazio
fendessero con grandi astri divelti.

Ma verrà tempo che sia pace, e i mondi,   225
fatti più densi dal cader dei mondi,
stringan le vene e succhino d' intorno
e in sè serrino ogni atomo di vita:
quando sarà tra mondo e mondo il Vuoto
gelido oscuro tacito perenne;   230
e il Tutto si confonderà nel Nulla,
come il bronzo nel cavo della forma;
e più la morte non sarà. Ma il vento
freddo che sibilando odo staccare
le foglie secche, non sarà più forse,   235
quando si spiccherà l' ultima foglia?
E nel silenzio tutto avrà riposo
dalle sue morti; e ciò sarà la morte.

    Io riguardava il placido universo
e il breve incendio che v' ardea da un canto.   240

    Tempo sarà (ma è! poi ch' il veloce
immobilmente fiume della vita
è nella fonte, sempre, e nella foce),

tempo, che persuasa da due dita
leggiere, mi si chiuda la pupilla: 245
nè però sia la visïon finita.

Oh! il cieco io sia che, nella sua tranquilla
anima, vede, fin che sa che intorno
a lui c' è qualche aperto occhio che brilla!

Così, quand' io, nel nostro breve giorno,   250
guardo, e poi, quasi in ciò che guardo, un velo
fosse, un' ombra, col lento occhio ritorno

a un guizzo d' ala, a un tremolìo di stelo:
quando a mirar torniamo anche una volta
ciò ch' arde in cuore, ciò che brilla in cielo   255

noi s' è la buona umanità che ascolta
l' esile strido, il subito richiamo,
il dubbio della umanità sepolta:

e le risponde: — Io vivo, sì, viviamo —

Tempo sarà che tu, Terra, percossa   260
dall' urto d' una vagabonda mole,
divampi come una meteora rossa;

e in te scompaia, in te mutata in Sole,
morte con vita, come arde e scompare
la carta scritta con le sue parole.   265

Ma forse allora ondeggerà nel Mare
del nettare l' azzurra acqua, e la vita
verzicherà su l' Appennin lunare.

La vecchia tomba rivivrà, fiorita
di ninfèe grandi, e più di noi sereno   270
vedrà la luce il primo Selenita.

Poi, la placida notte, quando il Seno
dell' iridi ed il Lago alto e selvaggio
dei sogni trema sotto il Sol terreno;

errerà forse, in quell' eremitaggio   275
del Cosmo, alcuno in cerca del mistero;
e nello spettro ammirerà d' un raggio

la traccia ignita dell' uman pensiero.

O sarà tempo, che di là, da quella
profondità dell' infinito abisso,   280
dove niuno mai vide orma di stella;

un atomo d' un altro atomo scisso
in mille nulla, a mezzo il dì, da un canto
guardi la Terra come un occhio fisso;

e venga, e sembri come un elïanto,   285
la notte, e il giorno, come luna piena;
e la Terra alzi il cupo ultimo pianto;

e sotto il nuovo Sole che balena
nella notte non più notte, risplenda
la Terra, come una deserta arena;   290

e Sole avanzi contro Sole, e prenda
già mezzo il cielo, e come un cielo immenso
su noi discenda, e tutto in lui discenda....

Io guardo là dove biancheggia un denso
sciame di mondi, quanti atomi a volo   295
sono in un raggio: alla Galassia: e penso:

O Sole, eterno tu non sei — nè solo! —

    Anima nostra! fanciulletto mesto!
nostro buono malato fanciulletto,
che non t' addormi, s' altri non è desto!   300

felice, se vicina al bianco letto
s' indugia la tua madre che conduce
la tua manina dalla fronte al petto;

contento almeno, se per te traluce
l' uscio da canto, e tu senti il respiro   305
uguale della madre tua che cuce!

il respiro o il sospiro; anche il sospiro;
o almeno che tu oda uno in faccende
per casa, o almeno per le strade a giro;

o veda almeno un lume che s' accende   310
da lungi, e senta un suono di campane
che lento ascende e che dal cielo pende;

almeno un lume, e l' uggiolìo d' un cane:
un fioco lume, un debole uggiolìo:
un lumicino....Sirio: occhio del Cane   315

che veglia sopra il limitar di Dio!

Ma se al fine dei tempi entra il silenzio?
se tutto nel silenzio entra? la stella
della rugiada e l' astro dell' assenzio?

Atair, Algol? se, dopo la procella   320
dell' Universo, lenta cade e i Soli
la neve dell' Eternità cancella?

Che poseranno senza mai più voli
nè mai più urti nè mai più faville,
fermi per sempre ed in eterno soli!   325

Una cripta di morti astri, di mille
fossili mondi, ove non più risuoni
nè un appartato gocciolìo di stille;

non fumi più, di tanti milïoni
d' esseri, un fiato; non rimanga un moto,   330
delle infinite costellazïoni!

Un sepolcreto in cui da sè remoto
dorma il gran Tutto, e dalle larghe porte
non entri un sogno ad aleggiar nel vuoto

sonno di ciò che fu! — Questa è la morte —   335

   Questa, la morte! questa sol, la tomba…
se già l' ignoto Spirito non piova
con un gran tuono, con una gran romba;

e forse le macerie anco sommuova,
e batta a Vega Aldebaran che forse   340
dian, le due selci, la scintilla nuova;

e prenda in mano, e getti alle lor corse,
sotto una nuova lampada polare,
altri Cigni, altri Aurighi, altre Grand' Orse;

e li getti a cozzare, a naufragare,   345
a seminare dei rottami sparsi
del lor naufragio il loro etereo mare;

e li getti a impietrarsi e consumarsi,
fermi i lunghi millenni de' millenni
nell' impietrarsi, ed in un attimo arsi;   350

all' infinito lor volo li impenni,
anzi no, li abbandoni all' infinita
loro caduta: a rimorir perenni:

alla vita alla vita, anzi: alla vita!

Io mi rivolgo al segno del Leone   355
dond' arde il fuoco in che si muta un astro,
alle Pleiadi, ai Carri, alle Corone,
indifferenti al tacito disastro;

ai tanti Soli, ai Soli bianchi, ai rossi
Soli, lucenti appena come crune,   360
ai lor pianeti, ignoti a noi, ma scossi
dalla misterïosa ansia comune;

a voi, a voi, girovaghe Comete
che sapete le vie del ciel profondo;
o Nebulose oscure, a voi che siete   365
granai del cielo, ogni cui grano è un mondo:

di là di voi, di là del firmamento,
di là del più lontano ultimo Sole;
io grido il lungo fievole lamento
d' un fanciulletto che non può, non vuole   370

dormire! di questa anima fanciulla
che non ci vuole, non ci sa morire!
che chiuder gli occhi, e non veder più nulla,
vuole sotto il chiaror dell' avvenire!

morire, sì; ma che si viva ancora   375
intorno al suo gran sonno, al suo profondo
oblìo; per sempre, ov' ella visse un' ora;
nella sua casa, nel suo dolce mondo:

anche, se questa Terra arsa, distrutto
questo Sole, dall' ultimo sfacelo   380
un astro nuovo emerga, uno, tra tutto
il polverìo del nostro vecchio cielo.

   Così pensavo: e lo Zi Meo guardando
ciò ch' io guardava, mormorò tranquillo:
"Stellato fisso: domattina piove."   385
Era andato alle porche il suo pensiero.
Bene egli aveva sementato il grano
nella polvere, all' aspro; e san Martino
avea tenuta per più dì la pioggia
per non scoprire e portar via la seme.   390
Ma era già durata assai la state
di san Martino, e facea bono l' acqua.
E lo Zi Meo, sicuro di svegliarsi
domani al rombo d' una grande acquata,
era contento, e andava a riposare,   395
parlando di Chioccetta e di Mercanti,
sopra le nuove spoglie di granturco,
la cara vita cui nutrisce il pane.

IL PRIMO CANTORE[1]

I

Il primo a cantare d' amore
    chi è?
Non si vede un boccio di fiore,
non ancora un albero ha mosso;
la calta sola e il titimalo   5
verdeggia su l' acqua del fosso:
e tu già canti, o saltimpalo,
    sicceccè...sicceccè....

[1] Copyright by Casa Editrice Mondadori, Italy.

II

Un ramo non c' è, con due frasche,
    per te!   10
Brulli sono meli e marasche;
forse il mandorlo ha imbottonato:
tu nella vigna sur un palo,
tu sul palancato d' un prato,
d' amore canti, o saltimpalo,   15
    sicceccè . . . sicceccè . . . .

III

Hai fretta di fare il tuo nido . . .
    perchè?
Per un prato gira il tuo grido,
porti a un prato radiche e pappi;   20
non rischi dunque che sul calo
del verno si vanghi e si zappi!
Eppure gridi, o saltimpalo,
    sicceccè . . . sicceccè . . . .

IV

Hai fretta, sei savio, sai bene   25
    perchè!
Viene il maggio, subito viene
la frullana grande che taglia . . . .
Frulla, o falce! Forti su l' ali,
dal nido di musco e di paglia,   30
frullano i nuovi saltimpali . . .
    sicceccè . . . sicceccè . . . .

IL SONNELLINO[1]

Guardai, di tra l' ombra, già nera,
del sonno, smarrendo qualcosa
lì dentro: nell' aria non era
    che un cirro di rosa.

E il cirro dal limpido azzurro   5
splendeva sui grigi castelli,
levando per tutto un sussurro
    d' uccelli;

che sopra le tegole rosse
del tetto e su l' acque del rio   10
cantavano, e non che non fosse
    silenzio ed oblìo:

cantavano come non sanno
cantare che i sogni nel cuore,
che cantano forte e non fanno   15
    rumore.

E io mi rivolsi nel blando
mio sonno, in un sonno di rosa,
cercando cercando cercando
    quel vecchio qualcosa;   20

e forse lo vidi e lo presi,
guidato da un canto d' uccelli,
non so per che ignoti paesi
    più belli...

che pure ravviso, e mi volgo,   25
più belli, a guardarli più buono...
ma tutto mi toglie la folgore...
    o subito tuono!

[1] Copyright by Casa Editrice Mondadori, Italy.

ch' hai fatto succedere a un' alba
piaciuta tra il sonno, passata　　　　　　30
nel sonno, una stridula e scialba
　　giornata!

LA CANZONE DELL' ULIVO[1]

I

A' piedi del vecchio maniero
che ingombrano l' edera e il rovo;
dove abita un bruno sparviero,
　　non altro, di vivo;

che strilla e si leva, ed a spire　　　　　5
poi torna, turbato nel covo,
chi sa? dall' andare e venire
　　d' un vecchio balivo:

a' piedi dell' odio che, alfine,
solo è con le proprie rovine,　　　　　10
　　piantiamo l' ulivo!

II

l' ulivo che a gli uomini appresti
la bacca ch' è cibo e ch' è luce,
gremita, che alcuna ne resti
　　pel tordo sassello;　　　　　15

l' ulivo che ombreggi d' un glauco
pallore la rupe già truce,
dov' erri la pecora, e rauco
　　la chiami l' agnello;

l' ulivo che dia le vermene　　　　　20
pel figlio dell' uomo, che viene
　　sul mite asinello.

III

Portate il piccone; rimanga
l' aratro nell' ozio dell' aie.
Respinge il marrello e la vanga   25
    lo sterile clivo.

Il clivo che ripido sale,
biancheggia di sassi e di ghiaie;
lo assordano l' ebbre cicale
    col grido solivo.   30

Qui radichi e cresca! Non vuole,
per crescere, ch' aria, che sole,
    che tempo, l' ulivo!

IV

Nei massi le barbe, e nel cielo
le piccole foglie d' argento!   35
Serbate a più gracile stelo
    più soffici zolle!

Tra i massi s' avvinchia, e non cede,
se i massi non cedono, al vento.
Lì, soffre, ma cresce, nè chiede   40
    più ciò che non volle.

L' ulivo che soffre ma bea,
da ciò ch' è più duro, ciò crea
    che scorre più molle.

V

Per sè, c' è chi semina i biondi   45
solleciti grani cui copra
la neve del verno e cui mondi
    lo zefiro estivo.

Per sè, c'è chi pianta l'alloro
che presto l'ombreggi e che sopra   50
lui regni, al sussurro canoro
    del labile rivo.

Non male. Noi mèsse pei figli,
noi, ombra pei figli de' figli,
    piantiamo l'ulivo!   55

VI

Voi, alberi sùbiti, date
pur ombra a chi pianta ed innesta;
voi, frutto; e le brevi fiammate
    col rombo seguace!

Tu, placido pallido ulivo,   60
non dare a noi nulla; ma resta!
ma cresci, sicuro e tardivo,
    nel tempo che tace!

ma nutri il lumino soletto
che, dopo, ci brilli sul letto   65
    dell'ultima pace!

LA FONTE DI CASTELVECCHIO[1]

O voi che, mentre i culmini Apuani
il sole cinge d'un vapor vermiglio,
e fa di contro splendere i lontani
    vetri di Tiglio;

venite a questa fonte nuova, sulle   5
teste la brocca, netta come specchio,
equilibrando tremula, fanciulle
    di Castelvecchio;

e nella strada che già s' ombra, il busso
picchia de' duri zoccoli, e la gonna   10
stiocca passando, e suona eterno il flusso
 della Corsonna:

fanciulle, io sono l' acqua della Borra,
dove brusivo con un lieve rombo
sotto i castagni; ora convien che corra   15
 chiusa nel piombo.

A voi, prigione dalle verdi alture,
pura di vena, vergine di fango,
scendo; a voi sgorgo facile; ma, pure
 vergini, piango: 20

non come piange nel salir grondando
l' acqua tra l' aspro cigolìo del pozzo:
io solo mando tra il gorgoglio blando
 qualche singhiozzo.

Oh! la mia vita di solinga polla   25
nel taciturno colle delle capre!
udir soltanto foglia che si crolla,
 cardo che s' apre,

vespa che ronza, e queruli richiami
del forasiepe! Il mio cantar sommesso   30
era tra i poggi ornati di ciclami
 sempre lo stesso;

sempre sì dolce! E nelle estive notti,
più, se l' eterno mio lamento solo
s' accompagnava ai gemiti interrotti   35
 dell' assïuolo,

più dolce, più! Ma date a me, ragazze
di Castelvecchio, date a me le nuove
del mondo bello: che si fa? le guazze
 cadono, o piove?   40

e per le selve ancora si tracoglie,
o fate appietto? ed il metato fuma,
o già picchiate? aspettano le foglie
    molli la bruma,

o le crinelle empite ne' frondai   45
in cui dall' Alpe è scesa qualche breve
frasca di faggio? od è già l' Alpe ormai
    bianca di neve?

Più nulla io vedo, io che vedea non molto
quando chiamavo, con il mio rumore   50
fresco, il fanciullo che cogliea nel folto
    macole e more.

Col nepotino a me venìa la bianca
vecchia, la Matta; e tuttavia la vedo
andare come vaccherella stanca   55
    va col suo redo.

Nella deserta chiesa che rovina,
vive la bianca Matta dei Beghelli
più? desta lei la sveglia mattutina
    più, de' fringuelli?   60

Essa veniva al garrulo mio rivo
sempre garrendo dentro sè, la vecchia:
e io, garrendo ancora più, l' empivo
    sempre la secchia.

Ah! che credevo d' essere sua cosa!   65
Con lei parlavo, ella parlava meco,
come una voce nella valle ombrosa
    parla con l' eco.

Però singhiozzo ripensando a questa
che lasciai nella chiesa solitaria,   70
che avea due cose al mondo, e gliene resta
    l' una, ch' è l' aria.

LA MIA SERA[1]

Il giorno fu pieno di lampi;
ma ora verranno le stelle,
le tacite stelle. Nei campi
c' è un breve *gre gre* di ranelle.
Le tremule foglie dei pioppi   5
trascorre una gioia leggiera.
Nel giorno, che lampi! che scoppi!
    Che pace, la sera!

Si devono aprire le stelle
nel cielo sì tenero e vivo.   10
Là, presso le allegre ranelle,
singhiozza monotono un rivo.
Di tutto quel cupo tumulto,
di tutta quell' aspra bufera,
non resta che un dolce singulto   15
    nell' umida sera.

È, quella infinita tempesta,
finita in un rivo canoro.
Dei fulmini fragili restano
    cirri di porpora e d' oro.   20
O stanco dolore, riposa!
La nube del giorno più nera
fu quella che vedo più rosa
    nell' ultima sera.

Che voli di rondini intorno!   25
che gridi nell' aria serena!
La fame del povero giorno
prolunga la garrula cena.
La parte, sì piccola, i nidi
nel giorno non l' ebbero intera.   30
Nè io... e che voli, che gridi,
    mia limpida sera!

[1] Copyright by Casa Editrice Mondadori, Italy.

*Don...Don....*E mi dicono, Dormi!
mi cantano, Dormi! sussurrano,
  Dormi! bisbigliano, Dormi!   35
là, voci di tenebra azzurra....
Mi sembrano canti di culla,
che fanno ch' io torni com' era...
sentivo mia madre...poi nulla...
  sul far della sera.   40

IL BOLIDE[1]

Tutto annerò. Brillava, in alto in alto,
il cielo azzurro. In via con me non c' eri,
in lontananza, se non tu, Rio Salto.

Io non t' udiva: udivo i cantonieri
tuoi, le rane, gridar rauche l' arrivo   5
d' acqua, sempre acqua, a maceri e poderi.

Ricordavo. A' miei venti anni, mal vivo,
pensai tramata anche per me la morte
nel sangue. E, solo, a notte alta, venivo

per questa via, dove tra l' ombre smorte   10
era il nemico, forse. Io lento lento
passava, e il cuore dentro battea forte.

Ma colui non vedrebbe il mio spavento,
sebben tremassi all' improvviso svolo
d' una lucciola, a un sibilo di vento: 15

lento lento passavo: e il cuore a volo
andava avanti. E che dunque? Uno schianto;
e su la strada rantolerei, solo...

no, non solo! Lì presso è il camposanto,
con la sua fioca lampada di vita.   20
Accorrerebbe la mia madre in pianto.

[1] Copyright by Casa Editrice Mondadori, Italy.

Mi sfiorerebbe appena con le dita:
le sue lagrime, come una rugiada
nell' ombra, sentirei su la ferita.

Verranno gli altri, e me di su la strada   25
porteranno con loro esili gridi
a medicare nella lor contrada,

così soave! dove tu sorridi
eternamente sopra il tuo giaciglio
fatto di muschi e d' erbe, come i nidi!   30

Mentre pensavo, e già sentìa, sul ciglio
del fosso, nella siepe, oltre un filare
di viti, dietro un grande olmo, un bisbiglio

truce, un lampo, uno scoppio...ecco scoppiare
e brillare, cadere, esser caduto,   35
dall' infinito tremolìo stellare,

un globo d' oro, che si tuffò muto
nelle campagne, come in nebbie vane,
vano; ed illuminò nel suo minuto

siepi, solchi, capanne, e le fiumane   40
erranti al buio, e gruppi di foreste,
e bianchi ammassi di città lontane.

Gridai, rapito sopra me: Vedeste?
Ma non v' era che il cielo alto e sereno.
Non ombra d' uomo, non rumor di péste.   45

Cielo, e non altro: il cupo cielo, pieno
di grandi stelle; il cielo, in cui sommerso
mi parve quanto mi parea terreno.

E la Terra sentii nell' Universo.
Sentii, fremendo, ch' è del cielo anch' ella.   50
E mi vidi quaggiù piccolo e sperso

errare, tra le stelle, in una stella.

NOTES

MYRICAE (pp. 11–20)

Myricae. The volume bears the motto: "Arbusta iuvant humiles-que myricae" ("Orchards and lowly tamarisks can please"), from Virgil's fourth Eclogue.

IL GIORNO DEI MORTI

Il giorno dei morti with "altre poesie di dolore intimo" was with-held from the first edition (*v.* Bibliogr. Note) and only added at the wish of his sisters. "Il giorno..." is All Souls' Day (2 November), a holiday in Italy, when people visit the cemeteries to pray for the souls of the departed.

2. **un camposanto:** "A mezza strada tra Savignano e San Mauro è questa casa unica di mia gente e mia" (Pref. 2nd ed.).

4. **fumido:** "smoky". The cypress appears "misty" or "steamy" in the heavy rain.

4–5. **si scaglia allo scirocco:** lit. "hurls itself at the (i.e. 'in the') Scirocco". The tree sways, wildly blown about in the Scirocco, the stormy S.W. wind which blows from Africa across the Mediter-ranean and Southern Europe.

5. **a ora a ora:** "now and again", "from time to time".

14. **come abbracciata:** lit. "as if embraced". On every rusty cross hangs a wreath, as though clasped in the arms of the cross, and dripping tears of rain.

31–3. The subject of *levano* is *i miei morti*. *Altri* here must mean "one of them", and this one is addressed in the verbs *sollevi...ascolti*.

37. **O miei fratelli:** Giovanni and Raffaele, the only brothers still living when the poem was written. **Margherita:** the poet's eldest sister (*v.* Introd.).

40–1. **che bevete ancora la luce:** "who still drink the light". A striking metaphor but hardly original as it has long been the custom in European languages to speak of light as a "flood", "streaming", etc.

99. **grandicella:** diminutive of "grande". She was the eldest but still not quite grown up, being only eighteen when she died.

109. **Luigi:** the third child, d. 1871.

130. **Giacomo:** the second child, d. 1876.

182. **pietà:** this word and the corresponding adj. *pio* are very frequently used, as in Latin, of filial duty and affection. The exclama-tion here appears to mean: "Filial affection still exists."

184. **Forse un corredo cuciono:** in the early days the poet's two sisters, Ida and Maria, helped to earn a living by doing needlework. "Maria" in l. 190 is, of course, the Virgin.

ALBA FESTIVA

Alba festiva: *v.* Introd. p. 6. This little poem appears to show the influence of E. A. Poe's *The Bells* which Pascoli once translated.

12–13. **Adoro:** an expression of devotion, "I adore". *Dilla, dilla* merely represents the sound of the bells.

FESTA LONTANA

9. **mortaretti:** for special Church holidays in Italy, fireworks—large crackers—are discharged, and sound, in the distance, like thunder.

IL CUORE DEL CIPRESSO

Il cuore del cipresso: only Part I appeared in the first edition, and of that only the last word "urna" shows that the cypress tree belongs to a cemetery. Part II emphasizes the melancholy note, and Part III makes the symbolical meaning clear; that is to say, clear in its allusive and emotional import.

2. **sterpeto:** *sterpo* is a new shoot from the foot of an old tree-trunk or one that has been cut down. *sterpeto* is a place with many such shoots. The trees have been cut down and new shoots have grown thickly from the old stumps.

6. **un nido,** and p. 20, l. 20, **il tuo nido:** one of the poet's favourite symbols; cf. *Il giorno dei morti*, p. 15, l. 131, "la nidïata" referring to his own family. The cypress, rain, wind, mist, autumn and winter all suggest the cemetery and the idea of death.

16. **arrossa:** *arrossare* is the transitive verb (*arrossire* intr. = "to blush"), its object here is *sentieri*.

PRIMI POEMETTI (pp. 21–40)

IL VISCHIO

Il vischio: a perfect example of the fusion of realism and symbolism. The poem begins with a realistic representation of fruit trees in an orchard, and this descriptive element continues throughout; but hints here and there gradually reveal the "mystic or secondary expression", the repetition ("albero") in Part IV imparts a lyrical note and, like a solemn incantation, prepares the way for the question of Part V (p. 23, ll. 53–5) which involves the problem of the origin of evil.

12. **pasceva...l' illusïone:** Pascoli recognized that he was "poeta dell' illusione", though he aspired to be "poeta della realtà" (*v. Pensieri e discorsi*, pp. 120–5).

23. **le branche pari a filigrane:** *branca* properly means "claw", but claws appear to "branch" out from the paw; the word therefore is used to indicate the small parts of anything that "branches" out. It is used here of the curved petals of the blossoms (which appear ready to close together like claws), appearing in the mass like filigree work.

43. **albero tristo:** "wretched tree". *Tristo* has the meanings *meschino, infelice, malvagio.*

67. **quando mai t' affisi:** "when you chance to rest listlessly"; *affisarsi*, meaning properly "to become fixed", suggests the stillness of approaching death.

LA QUERCIA CADUTA

La quercia caduta: a simple descriptive piece, but it is certain that the poet, in writing it, thought of his father. The "capinera" (l. 9), of course, represents the orphans.

L' AQUILONE

L' aquilone is inspired by memories of the poet's schooldays at Urbino (*v.* Introd. p. 1).

IL VECCHIO CASTAGNO

Il vecchio castagno, by the mention of Viola and "il caro zio", is associated with the series of poems describing the tasks of country people in the various seasons (*La sementa, L' accestire, La fiorita, La mietitura, La vendemmia*) which constitutes a large part of the two volumes of *Poemetti*. It resembles these poems, too, in that it deals largely with the work of gathering, drying and cooking the chestnuts; but the tone is more melancholy than usual, and the chestnut tree, represented as a living conscious being—almost a person—is exalted as an example of resignation and sacrifice.

The poem begins with an introduction (omitted) of 49½ lines relating how Viola came and sat under the tree at the time when the chestnuts were just ripening. A burr, in falling, pricks her hand; she looks up and notices an axe; the tree speaks to her.

6. **tristi:** "unfortunate".

12. **Vivande...ghirlande!** "We produce food; only the rose-bush is cultivated merely to supply garlands!"

20. **crescevo**, l. 25 **bramavo:** cf. p. 28, l. 42 *io sognava*, l. 45 *io mi spingeva*, but l. 46 *non avevo...gettava*: Pascoli very frequently uses the old forms (*-ava, -eva, -iva*) at the 1st pers. sing. imperf. indic. but uses the forms in *-vo* to represent familiar conversation. He considered, probably, that "io sognava..." and "io mi spingeva..." express more "poetical" ideas than the other verbs quoted.

30. **per filo e per segno:** "deliberately"; "carefully and completely".

46–7. **io mi gettava verso il mio passato:** this phrase is very significant: Pascoli himself lived very largely in memories of the past. This whole stanza may be taken as an allegory of the way in which the poet, inspired by the memory of the members of the family who had been cut off by untimely death, set himself to repair the damage, as far as possible; that is to say, to bring honour to his parents' name by his poetry, and to make a home for his two remaining sisters.

51. **A te le canso:** "I put them aside for you."

53–4. **e due volte in cielo fare qui vedrai la luna:** i.e. "and you will stay here two months".

64. **San Martino:** St Martin (316–c. 400), Bishop of Tours, was born at Sabaria in Pannonia. According to legend he once shared his coat with a beggar, and he is therefore usually represented in the act of cutting his coat with a sword. Pascoli uses the image of St Martin, wearing half a coat, to describe the weather in the fine autumn days about Martinmas (11 November): "mezzo tra freddo e caldo".

67. **le prime:** i.e. *le prime castagne*; the first chestnuts to ripen.

71. **l' ultime:** *le ultime* (*castagne*). The article *le* is not usually contracted except before *e*; the elision occurs, however, not infrequently in poetry, and is even found in prose, e.g. "con l' unghie" (Manzoni, *Promessi Sposi*).

87. **le cotte:** to rhyme with *notte* and *ballotte* this should be *còtte* (open *o*) = "gowns", but in the context, this is impossible. It must be *cótte*, pl. of *cotta* = "cooking" or past particip. f. pl. standing for *castagne cotte* = "boiled chestnuts".

108. **tra lusco e brusco:** "at twilight".

110. **lane di pioppi:** woolly down from poplar catkins.

117. **col castagno:** "by (a fire of) chestnut-wood".

125. **Poi nel dì...:** the "day" is the feast of St Martin, 11 November. On that day new wine is drunk with chestnuts (usually boiled).

126. **che si picchia su l' aia:** the threshing floor whether of beaten earth or paved with tiles would be quite suitable for dancing,

and "si picchia" here, in conjunction with "si canta", "si beve", evidently means "they dance".

127-8. **lieve cenere, buona per il tuo bucato:** the fine ash is used in washing linen (cf. *potash*).

129. **E il ceneraccio, al prato!** The coarser ash is used as a fertilizer.

L' ACCESTIRE

L' accestire: *v.* note on *Il vecchio castagno.* Under this heading nine poems are included, some relating to household tasks (*Il bucato, La bollitura, La canzone del bucato*), others to fields and garden.

LA SIEPE

8. **dormi 'l-dì** used as adj. = *che dorme il dì*, "who sleeps in the day-time".

21-2. **ma per te, felice ella i ciliegi popolosi miete:** "But because of thee (through thy protection) she gladly gathers the crop of the cherry trees laden with fruit."

25. **che si sente il cucùlo:** *che* here means "and when". The accent is marked in *cucùlo* because this word is sometimes accented on the first syllable.

I DUE FANCIULLI

I due fanciulli: the subject of this poem was, no doubt, suggested by *La vision d'Ève* (Léon Dierx), but by changing the scene from mythological times to the present, by describing time and place and other details the picture is rendered much more dramatic. The brusque transition to the "moral", however, has been justly blamed. Zacchetti says: "Nel trapassare bruscamente da: '*E rincalzò, con un sorriso, il letto*' a: '*Uomini, nella truce ora dei lupi*', mi è sempre sembrato di ricevere un pugno nello stomaco."

31. **con le sue bianche aluccie senza piume:** here we have once more the metaphor of little birds in the nest (cf. *nido, nidiata*; note on p. 19, l. 6).

35. **che ne circonda:** "which surrounds us", *ne* being here a pronoun of the first person.

39. **prona:** this epithet is curious. Much of Pascoli's later work (*v.* Introd. p. 7) suggests that he was probably thinking here of the earth as a heavenly body "declining" towards its setting or its ultimate destruction. (Cf. Lat. *pronus.*)

48. **la Morte:** it is characteristic of Pascoli that in the application of the parable the mother has become Death. The thought of death will

make men better and more loving. (*v.* Introd. pp. 6–8. Cf. "Ma la vita, senza il pensier della morte, senza cioè religione...è un delirio", *Cante di Castelvecchio*, Pref. p. viii.)

IL LIBRO

Il libro: a fusion of realism and symbolism after the manner of *Il vischio*, but not perfectly achieved. The Man does not exist in the real scene; he is only imagined and remains "invisibile, come il pensiero".

IL FOCOLARE

Il focolare: a parable teaching a lesson similar to that of *I due fanciulli* but rather by implication than by direct expression. "La capanna" and "il focolare in cui non è niente" represent the Christian faith and similar "illusions" which can, however, afford some consolation (cf. "O infinitamente soavi poeti dell' illusione." *Pensieri e discorsi*, p. 120), while men's minds are "assorte nel lungo sogno d' una lenta fola", p. 40, ll. 68–9. Once more the last word is "la morte".

6. **un altro sè dal calpestìo più breve,** i.e. a child.

NUOVI POEMETTI (pp. 41–50)

LA PECORELLA SMARRITA

5. **Il cielo scende a goccia a goccia** (cf. ll. 10 and 18): this seems to mean that "the darkness is gradually falling from the sky"; or, possibly, that the dark sky with its stars (*le gocce*) is seen to be setting in the west.

10. **Si dirompe il cielo!** "The veil of darkness is being torn from the sky."

11. **Albeggia Dio!** "God's dawn is breaking."

12. **pini de l' Hermon, cedri del Carmelo!** Hermon is the chief mountain of the Anti-Libanus range in Syria; Mt Carmel, N.W. spur of the mountains of Samaria, forming a promontory in the sea. "Pines of Hermon" are not mentioned in the English versions of the Bible, and cedars, in Palestine, only grow on "Mt Lebanon" (to which the Anti-Libanus range belongs), but the words "pine" and "cedar" are very loosely used in the Bible.

13–14. **Tre volte...in sogno.** These realistic details (and the flower in the third tercet, above), characteristic of Pascoli, are in sharp contrast with the vision of the seraphim, and the vague evocation of the friar and the "voice". The friar is not described or named and the "voice" remains merely a voice.

17–18. **lento, fluiva il cielo verso la sua foce:** a third reference to the gradual disappearance of the stars setting in the west in the growing light, but the metaphor this time is that of a river.

27. **Vega,** the largest star of the constellation Lyra; **Deneb** (*Alpha Cygni*), the star at the top of the Cross which forms the constellation of Cygnus. **Aldebaran,** the chief star of Taurus; the name means "follower" (i.e. of the Pleiades); **Polluce,** Castor and Pollux, "the Heavenly Twins", were sons of Leda by Zeus (or, according to some, Tyndarus). They became protectors of sailors and were eventually changed into a constellation. Pollux is the less brilliant of the two chief stars of the constellation.

29. **un agnello sperso:** the "lost lamb" is, of course, the earth.

35–6. **O Terra l' uno tu non sei...l' altro!** This is a reference to old ideas of the universe with the earth as its centre and the heavens revolving round it.

52. **una cornamusa:** in Advent shepherds from the hills play bagpipes at dawn before shrines of the Virgin. They always play the same sweet plaintive melody, "un dolce suon selvaggio" (cf. *Le ciaramelle, Canti di Castelvecchio.*)

56. **l' agreste canna:** "the pastoral reed", i.e. the bagpipes.

LA VERTIGINE

13–14. **Eternamente il mar...al cupo:** "The sea for ever wildly thrusts out its waves towards the abyss", i.e. the deep, dark vault of space.

18. **questa informe oscurità volante:** "this formless (or misshapen) flying darkness", i.e. the earth.

24. **Vega,** cf. p. 42 and note.

29. **Oh! se la notte...non fosse!** Pascoli sometimes shows a childish fear of darkness and night (cf. *Il ciocco*, p. 68).

LA MIETITURA

La mietitura: this belongs to the idyllic series of poems relating to the seasons (*v.* note on p. 26, *Il vecchio castagno*, and p. 33, *L' accestire*). It comprises *Tra le spighe, Terra e cielo, E lavoro, Il pane* and five other poems, all of exactly the same length.

E LAVORO

9. **non lo tribbiai nè macchinai, ma scossi:** "I did not thresh it by hand or by machine, I shook the grain from the ears."

10–11. **calce, spenta da me:** "lime, which I slaked myself". The two following lines refer to the process of slaking.

I DUE ALBERI

1. **Vento dei Santi:** the wind which frequently blows about the time of All Saints' Day, 1 November. Cf. l. 16, "vento dei Morti" (All Souls' Day, 2 November).

I due alberi, II: one tree represents the idea that life goes on, perhaps for ever, in spite of the appearance of death and decay; the other represents the idea that death is final.

I due alberi, III: the dead tree represents the universe. This is a reference to the theory that the universe (or only the solar system?) is "running down" (cf. *Il ciocco*).

45. **la corona, che sfavilla:** *la corona* is the "head" or highest part of a tree. The stars are still seen to sparkle overhead, that is, the universe is not yet completely dead, but is in process of dying.

48. **l' albero morto:** it is remarkable how many of Pascoli's poems end with the word "morto" or "morte".

CANTI DI CASTELVECCHIO (pp. 51–81)

LA POESIA

9–10. **le soffici rócche che albeggiano in fila:** "the white row of fluffy distaffs", "fluffy" with the flax or other material to be spun.

21–3. **che sboccia...:** the light from the lamp spreads out on the tablecloth like an opening flower, then shines on it brightly and steadily like the moon shining on a "meadow of snow".

40. **l' umile stilla:** the drops of oil provided by the cottagers for the votive lamp.

NEBBIA

5–6. **crolli d' aeree frane!** This refers to the sound of thunder, as if of something collapsing in the sky, and perhaps also to the falling of heavy rain.

21–2. **quel bianco di strada,** i.e. the white road leading to the cemetery.

LE CIARAMELLE

Le ciaramelle: *v*. note on p. 42, l. 52, **una cornamusa.**

11. **sanno:** "savour", "smack", used figuratively as in English.

16. **presepe:** "crib" or model representing the Nativity, and illuminated by many candles, "grande" because it comprises the whole village, and "piccoletto" because, if the lights in the houses were but tiny candles as they appear from a distance, the whole "crib" would be very small.

23. **suono di mamma,** etc.: the sound of the bagpipes reminds the poet of his early childhood. The whole of this passage clearly reveals a state of mind of which there are many hints in Pascoli's work. His theory of the poet as child shows a similar attitude (cf. "Il fanciullino", *Pensieri e discorsi*).

LA CANZONE DELLA GRANATA

La canzone della granata: *v.* Introd. p. 9.

25-6. **colui che la trama distende:** the spider.

58. **imperlina:** "sprinkles with pearls", i.e. of dew, as the kitchen floor is sprinkled with water before it is swept.

69. **sacra:** "consecrated", i.e. "destined".

IL CIOCCO

2. **i bicchieri avvinò:** "rinsed the glasses with wine". Pascoli explains in a note: "avvinare, Sciacquare...ma col vino. Non lo fanno i bevitori per pulizia, veramente, ma, come dicono, per far perdere al bicchiere il sapor dell' acqua."

4. **croccolasse:** "cluck", properly used of hens, but here describing the sound of air-bubbles entering the neck of the bottle if the wine is poured out too quickly at first.

58-9. **un popolo infinito che ben sapeva l' ordine e la legge:** i.e. a colony of ants.

86. **l' ago sentì,... :** i.e. died when their time came.

89. **fu congiunto:** "was formerly joined".

In a passage omitted (114 lines) the peasants speak of the ways of ants, each from the point of view of his own trade or his own particular interests.

110. **c' era d' ogni intorno il fuoco:** "the fire was around them on every side."

121-2. **i mostri...le...filatrici:** the men sitting round the fire holding their glasses of wine—"concavi laghi di sangue ardente"—and the women spinning, appearing gigantic to the ants.

126. **mordean le bigie nuvole del cielo:** cf. p. 60, l. 16. The hemp on each distaff might appear to the ants like a cloud in the sky.

In the passage omitted after l. 134 (16 lines) Zi Meo relates how ants had taken up all the seeds which he had sown in a field, and had gathered them into heaps. Zi Meo for Zio Bartolomeo.

140. **sopra le nuove spoglie di granturco:** dried leaves and cob-sheaths of maize are used to stuff mattresses.

154–60. **squamme verdi di draghi...occhi dell' orse:** this refers to the constellations which appeared to primitive man like eyes, etc., of monsters, just as the ants on the burning log might have perceived the people sitting round the fire.

163. **trenta miglia:** this is an exaggeration; the mean speed of the earth's revolution round the sun is 18·5 miles per second. Even if the rate of rotation be added that would only make a difference of about 0·14 miles per second in the latitude of northern Italy.

179. **vede e svede un lume:** "catches fitful glimpses of a light". In his notes Pascoli mentions this "very beautiful" Sicilian idiom and adds: "gli altri Italiani...pure hanno bisogno di tanto breve e chiara espressione."

185. **Nebulose:** the constellation of Cetus is crowded with nebulae.

186. **Mira,** the first known variable star, is in the constellation of Cetus, situated to the south of Aries. Vega: *v.* note on p. 42, l. 27.

188. **Pietrapana:** a mountain overlooking the valley of the Serchio. The poet is walking home with Zi Meo (Bartolomeo Caproni) who lived—or at least, whose vineyard was situated—opposite the church. Cf. poem entitled *Zi Meo* (*Nuovi Poemetti*).

195–6. **la strada d' un mondo infranto:** "the path of a shattered world" which appears as a meteor or shower of meteors (usually frequent in the month of November).

221–4. **come se Titani...:** a new application of the myth of the war of the Titans.

225–6. **i mondi, fatti più densi dal cader dei mondi:** this idea is taken from E. A. Poe's *Eureka* of which the main principle is that the material universe has been created by a diffusion from Unity, and this involves a tendency to return into Unity. "Gravity exists on account of Matter's having been radiated, at its origin, atomically, into a limited sphere of Space, from one, individual, unconditional, irrelative, and absolute Particle Proper" (p. 242). "'The tendency to collapse' and 'the attraction of gravitation' are convertible phrases. In using either, we speak of the reaction of the First Act" (p. 301). "Upon the attainment of a certain proximity to the nucleus of the cluster to which each system belongs, there must occur, at once, a chaotic or seemingly chaotic precipitation, of the moons upon the planets, of the planets upon the suns, and of the suns upon the nuclei" (p. 307). E. A. Poe, *Complete Works*, Virginia ed., 1902, vol. XVI.

231. **e il Tutto si confonderà nel Nulla:** "In sinking into Unity, Matter will sink at once into that Nothingness which, to all

Finite Perception, Unity must be—into that Material Nihility from which alone we can conceive it to have been evoked—to have been *created* by the Volition of God."

233 *sqq.* **Ma il vento freddo...** : resuming the metaphor of *I due alberi* (*v. sup.* esp. pp. 49–50) the poet questions for a moment whether the forces which cause death will continue when all life is extinct. The two lines following the question appear to answer it: in the universal silence even death will cease to occur; and that will be death indeed. But they do not give a direct negative answer and thus do not exclude the possibility of a series of future creations suggested by Poe in the passage immediately following the one last quoted above: "...a novel Universe swelling into existence, and then subsiding into nothingness, at every throb of the Heart Divine."

241–3. **Tempo sarà (ma è...):** this is an idea adumbrated by Blake and others, but confirmed by modern theories of time (*v.* Dunne, *An experiment in Time*; *The Serial Universe*).

271. **il primo Selenita:** the first inhabitant of the moon. When the earth burns like a sun, perhaps life will appear on the moon.

272–3. **il Seno...il Lago:** names given to physical features of the moon.

298 *sqq.* **Anima nostra! fanciulletto mesto!...** : this passage reveals the persistence of a childish state of mind in the poet (*v.* p. 55, l. 23 and note). He cannot bear the thought of utter darkness and loneliness.

320. **Atair:** a star in the constellation of Aquila, south-east of Lyra. **Algol:** a star in Perseus.

344. **Aurighi:** Auriga, "the Charioteer", a constellation situated between Perseus and Taurus.

357. **Corone:** two constellations: C. Australis, a small constellation near Sagittarius; C. Borealis, called "Ariadne's Crown", east of Boötes.

396. **Chioccetta** (little brooding hen): "Nome contadino delle Pleiadi; Mercanti: Così lo Zi Meo e tutti chiamano le stelle della cintura d' Orione." (Pascoli's note.)

IL PRIMO CANTORE

8. **siccecè** represents the chirping of the stonechat.

28. **la frullana:** "falce fienaia". (Pascoli's note.)

29, 31. **frulla, frullano:** this is a sort of pun. Among the many whims that Pascoli indulged in his poetry about this time it is hardly surprising that he should permit himself this rather childish play upon words.

IL SONNELLINO

Il sonnellino: this poem, like many others, shows how Pascoli loves to abandon himself to his dreams. The fourth stanza especially ("cantavano come non sanno...") shows that he sometimes preferred dreams to reality. These lines remind us of Keats: "Heard melodies are sweet but those unheard are sweeter."

IL CANZONE DELL' ULIVO

9. **odio:** the feudal castle seems to be, for Pascoli, a symbol of hate, whether on account of his socialistic ideas or of the history of some particular castle near Barga.

20. **vermene:** "Veramente qui si usa 'vermella' per dire ramicello." (Pascoli's note.)

46. **solleciti,** like **sùbiti** (l. 56) here means quick-growing.

60–7. Like so many of Pascoli's poems, this one ends with a reference to death.

LA FONTE DI CASTELVECCHIO

La fonte di Castelvecchio: this poem, like *Alle fonti del Clitumno* and others of Carducci's *Odi barbare*, is written in Sapphic metre. Imitating classical metres in modern Italian, Carducci called the poems *Odi Barbare* because they were written in a "barbarous" language, that is, not in Greek or Latin.

1. **culmini Apuani:** the mountains in the neighbourhood of Castelvecchio belong to the Apuan Alps.

4. **Tiglio** is a small village about three miles from Barga.

13. **Borra:** the name of the stream from which the waters of the Fountain of Castelvecchio are derived.

37. **più dolce, più:** the sound of these words imitates the cry of the horn-owl (*assïuolo*, l. 36).

42. **fate appietto:** "do you complete the gathering (of the chestnuts)."

LA MIA SERA

31. **Nè io:** these words make it clear that the poet is thinking of the course of his own life; this thought underlies the whole poem.

IL BOLIDE

Il bolide: the poet refers to fears he had experienced of sharing his father's fate at the hands of the same assassins.

3. **Rio Salto:** a stream which flowed near his old home at San Mauro.

VOCABULARY

[NOTE: Genders are not marked where regular and obvious, i.e. for nouns ending in -o, masculine, in -a, feminine.]

A

abbaiare, to bark

abbracciare, to embrace (v. p. 83, note on l. 14)

abbrividire, to shiver

abituro, n., cottage

accatastare, to pile up

accoccare, to fasten the thread to the spindle

accorrere, to hasten up

acquata, n., shower, downpour

acquido, adj., watery, addled

acre, adj., keen

acuto, adj., acute, pointed

additare, to point out

affannarsi, to be alarmed

afferrarsi, to seize, take hold

affissarsi, to remain (or become) still

aggradare, to please

agreste, adj., rustic

agucchiare, to sew, ply the needle

aguzzo, adj., sharp-pointed

aia, n., threshing floor

alato, adj., winged; n., winged creature

alba, n., dawn

albaspina, n., hawthorn

albeggiare, to dawn

albicocco, n., apricot tree

albore, n.m., dawn, brightness

aleggiare, to flap the wings, flutter, hover

aliare, to flutter, flap

alito, n., breath, breathing

allettare, to allure, charm

allettarsi, to go to bed, be beaten down (of corn, as in text)

altana, n., chancel

altri, pron., someone else

altrove, elsewhere

aluccia, n., little wing

anelante, adj., breathless, panting

anello, n., ring

anelo, adj., breathless

anfora, n., amphora, large two-handled jar

annerare, to blacken

ansare, to be out of breath

ansia, n., anxiety

ansimare, to pant

ape, n.f., bee

appietto, adv., completely (v. p. 94, note on l. 42)

apprestare, to prepare

aquilone, n.m., kite

aratro, n., plough

arguto, adj., witty

arridere, to smile upon

arrossare, to redden (v. p. 84, note on l. 16)

arsito, adj., dried up

artiglio, n., claw, talon

arzillo, adj., lively

ascoltare, to listen

asilo, n., refuge, asylum

aspro, adj., rough, harsh, dry

asprura, *n.,* dryness
assalire, to assault
assenso, *n.,* assent, approval
assetato, *adj.,* thirsty
assidersi, to sit down
assillo, *n.,* horse-fly
assiuolo, *n.,* horn-owl
assordare, to deafen
assorto, *adj.,* absorbed
atropo, *n.,* kind of viper, very poisonous
attorcere, to twist
avanzare, to be left over
avanzo, *n.,* something left over
avello, *n.,* tomb
avido, *adj.,* eager
avo, *n.,* grandfather, ancestor
avventare, to throw, hurl
avvinare, to rinse with wine
avvinchiarsi, to grasp, grapple
avvinto, *adj.,* clasped, entwined
avvolto, *adj.,* enveloped

B

bacca, *n.,* berry
bacino, *n.,* basin
balenare, to lighten
baleno, *n.,* flash of lightning
balivo, *n.,* bailiff
ballotta, *n.,* boiled chestnut
balocco, *n.,* toy
balza, *n.,* precipice, steep hillside
bara, *n.,* bier, coffin
baratro, *n.,* abyss
barba, *n.,* root
bearsi, to rejoice
biacco, *n.,* adder
biancheggiare, to whiten
biancicare, to grow white, show white

bifolco, *n.,* peasant
bimbo, *n.,* baby, child
bisbiglio, *n.,* whisper
blando, *adj.,* feeble
boccia, boccio, *n.,* bud
bocciuolo, *n.,* little bud
borro, *n.,* ravine
botte, *n.f.,* cask, tun
brace, *n.f.,* burning coal
bramare, to desire
bramosia, *n.,* desire
branca, *n.,* claw (*v.* p. 85, note on l. 23)
branco, *n.,* herd, group
brocco, *n.,* sprout, shoot
bronco, *n.,* stump; *in pl.* brushwood
brontolare, to murmur; (of fire) to roar
brontolio, *n.* murmur, grumbling, rumbling
bruco, *n.,* caterpillar
brulicare, to swarm
brullo, *adj.,* bare, leafless
bruma, *n.,* depth of winter
brunito, *adj.,* burnished
brusco, *adj.; v.* p. 86, note on l. 108
bucato, *n.,* washing (of clothes)
buccia, *n.,* bark (of tree)
bufera, *n.,* storm, hurricane
bugno, *n.,* hive
buio, *n.,* darkness
bulicare, to bubble
busso, *n.,* noise

C

calare, to descend, fall gently
calce, *n.f.,* lime
calpestare, to trample

calpestìo, *n.*, trampling, tread

calta, *n.*, marigold

camerata, *n.*, group of comrades

camposanto, *n.*, cemetery

canna, *n.*, reed, pipe

cannaiola, *n.*, hurdle

canoro, *adj.*, harmonious

cansare, to put aside, keep; *v.* p. 86, note on l. 51

cantarellare, to hum, chirp

cantilena, *n.*, long monotonous song

canto, cantone, *n.m.*, corner; side

cantoniere, *n.m.*, signalman

capanna, *n.*, cottage

capinera, *n.*, black-headed linnet

capino (dim. of *capo*), *n.*, little head

capitoni, *n.m.pl.*, andirons

capparone, *n.m.*, hovel for straw, hay, etc.

cardo, *n.*, thistle; burr (chestnut)

carreggiare, to cart

casolare, *n.m.*, hut, cottage

castagno, *n.*, chestnut tree; chestnut wood

catasta, *n.*, pile of wood

cauto, *adj.*, prudent, cautious

cedro, *n.*, cedar

celestino, *adj.*, sky-blue

ceneraccio, *n.*, buckashes (after use in washing clothes)

ceppa, *n.*, stump (of a tree), trunk

ceppo, *n.*, stump (of a tree), log, block

cerulo, *adj.*, sky-blue

cesta, *n.*, basket

checchè, *pron.*, whatever

chicco, *n.*, grain, berry

chiostro, *n.*, cloister

ciaramella, *n.*, bagpipe, flageolet

cieco, *adj.*, blind

cigolio, *n.*, creaking, crackling

cinciallegra, *n.*, great titmouse

cingere, to surround

cioccatella, *n.*, bundle (of sticks)

ciocco, *n.*, log

cipiglio, *n.*, frown

cipresso, *n.*, cypress

cirro, *n.*, form of cloud which looks like lock of hair or wool

clivo, *n.*, slope

colassù, *adv.*, up yonder

colmare, to fill up

colmo, *adj.*, full up

concio, *n.*, dressing; dung

consumarsi, to consume or consummate

convenire, to need

convito, *n.*, repast

coppo, *n.*, jar, pitcher

cornamusa, *n.*, bagpipe

corredo, *n.*, supply of linen, trousseau

cotta, *n.*, cooking; *v.* p. 86, note on l. 87

cova, *n.*, brood

covata, *n.*, covey, brood

covo, *n.*, nest, den

crepa, *n.*, crack

crepitare, to crackle, bang; *n.m.*, crackling, rustling

crepito, *n.*, crackling, rustling

cricchiare, to crack

crinella, *n.*, osier-basket for hay, grass, etc.

crisantemo, *n.*, chrysanthemum

croccolare, to crackle

crollare, to shake, toss

crollo, *n.*, shake, toss

crudo, *adj.* (cf. Lat. *crudus*), merciless, cruel; raw

cruna, *n.*, eye of a needle

cuccare, to prune, lop off branches
cucire, to sew
cuculo, *n.*, cuckoo; *v.* p. 87, note on l. 25
cullare, to rock (as in cradle)
cuna, *n.*, cradle
cupo, *adj.*, deep; hollow, sombre, muffled; *n.* abyss; *v.* p. 89, note on l. 14

D

desco, *n.*, dining-table
desiare, to desire
destare, to awake
dicapato, *adj.*, decapitated
diradarsi, to grow thin; vanish
dirompersi, to become soft
disusato, *adj.*, unaccustomed
divampare, to blaze, burn
divelto, *adj.*, torn up, uprooted
divieto, *n.*, prohibition, forbidding
dolere, to ache
dondolare, to swing, sway
dondolio, *n.*, swinging, swaying
drago, *n.*, dragon

E

ebbro, *adj.*, inebriated
effondersi, to be poured out, be spread out
elianto, *n.*, sunflower
ellera, *n.*, ivy
entrambi, *pron.*, both
eppure, *conj.*, and yet
erede, *n.m.*, heir
erica, *n.*, heather
ermo, *adj.*, solitary, lonely
errare, to wander

esangue, *adj.*, bloodless
esile, *adj.*, slender

F

faccenda, *n.*, affair, business
fagiolo, *n.*, kidney bean, haricot
falena, *n.*, moth
fango, *n.*, mud
farfugliare, to stutter
fasciare, to bind, encompass
fascio, *n.*, bundle
favilla, *n.*, spark
favo, *n.*, honeycomb
fendere, to cleave, split
ferino, *adj.*, savage, of a wild beast
fiato, *n.*, breath, breeze
fiera, *n.*, wild beast
filare, *n.m.*, row, line, range
filigrana, *n.*, filigree
filo, *n.*, thread, blade (of grass); *v.* p. 86, note on l. 30
fimo, *n.*, dung, manure
fiocco, *n.*, tassel
fiorita, *n.*, efflorescence, blooming
fischiare, to whistle, hiss
fischio, *n.*, whistle, hiss; tingling
fiumana, *n.*, overflowing river, torrent
flagellare, to whip, lash
florido, *adj.*, flowering; vigorous
flusso, *n.*, tide-flow
foce, *n.f.*, mouth (of a river)
focolare, *n.m.*, hearth
fogliame, *n.m.*, foliage
fola, *n.*, fable, tale
folata, *n.*, gust of wind
folgore, *n.f.*, lightning
folgorìo, *n.*, flashing, blazing, brightness
folto, *n.*, thicket
forasiepe, *n.m.*, wren

forcone, *n.m.*, pitchfork

formentone, *n.m.*, maize

formicolare, to swarm

fornire, to furnish, provide

forviare, to mislead

fosco, *adj.*, dark, dark coloured

fossile, *adj.*, *n.m.*, fossil

fosso, *n.*, ditch

frana, *n.*, landslide

franare, to fall; *n.m.*, falling

frangere, to break, shatter

frangolo, *n.*, kind of very breakable wood

frasca, *n.*, green bough

frassino, *n.*, ash tree

fringuello, *n.*, chaffinch

fronda, *n.*, leaf

frondaio, *n.*, leafy place; heap of branches and foliage

frullana, *n.*, sickle (for fodder)

frullare, to whirl, whir

fruscio, *n.*, rustling

fruttato, *n.*, produce, fruit

fuco, *n.*, drone

fugace, *adj.*, transient, fleeting

fumido, *adj.*, smoky; *v.* p. 83, note on l. 4

fuso, *n.*, spindle

fusto, *n.*, trunk (of tree)

G

gambo, *n.*, stalk

gara, *n.*, emulation; *corsa di gara*: race

garrire, to squabble, chide

garrulo, *adj.*, noisy, talkative

gemello, *adj.*, *n.*, twin

gemere, to groan; drip

gemito, *n.*, lament

gemma, *n.*, bud

gemmare, to bud

gente, *n.f.*, people, kinsfolk

gettare, to throw

ghiaia, *n.*, gravel

ghianda, *n.*, acorn

ghirlanda, *n.*, garland, wreath

ghiro, *n.*, dormouse

giacere, to lie

giaciglio, *n.*, couch, pallet

gialleggiare, to turn yellow

gigantessa, *n.*, giantess

girare, to turn around

girovago, *adj.*, wandering

glomo, *n.*, ball

glutine, *n.m.*, glutin, viscous substance

gocciare, to drip

goccino, *n.*, small drop

gorgoglio, *n.*, bubble, gurgling

governo, *n.*, manuring, cultivation

gracilare, to cluck

gracile, *adj.*, delicate, weak

granaio, *n.*, barn

granito, *adj.*, full of grain

granturco, *n.*, maize

grappolo, *n.*, bunch (of grapes), cluster

grembo, *n.*, lap

gremito, *adj.*, crowded, thick

greppia, *n.*, rack

grillo, *n.*, cricket

grondare, to drip

gruppo, *n.*, knot

guanciale, *n.m.*, pillow

guazza, *n.*, dew

guiame, *n.m.*, the second fodder of the season

guisa, *n.*, manner; *a guisa di*: like

guizzare, to glide, flash

guizzo, *n.*, gliding, sudden movement, flash

I

ignavo, *adj.*, idle
ignito, *adj.*, ignited
ignoto, *adj.*, unknown
ignudo (= **nudo**), *adj.*, naked
illacrimato, *adj.*, unwept
imbottonato, *adj.*, *p.p.* (**imbottonare**), budded
impalpabile, *adj.*, impalpable
impassire, to become insensitive
impennarsi, to prance
imperlare, to put on pearls (*fig. of water*) to form pearly drops
impietrarsi, to petrify
incendere, to flame, burn
indafarito, *adj.*, very busy
indosso, *adv.*, upon one's back (i.e. wearing)
indugiare, to delay
infranto, *p.p.* (**infrangere**), broken
infuso, *adj.*, infused, steeped
inganno, *n.*, deceit, deception
ingombrare, to encumber
ingombro, *adj.*, encumbered
innestare, to graft
inserire, to insert, introduce
intarmolire, to decay, become worm-eaten
intiero, *adj.*, entire, whole
intimare, to order
intridere, to mix with water, knead
invendicato, *adj.*, unavenged
invidiare, to envy
involare, to steal away
involarsi, to slink away
irraggiare, to irradiate

iride, *n.f.*, iridescence
irsuto, *adj.*, hairy, bristling
irto, *adj.*, bristling, thorny

L

labile, *adj.*, slippery, failing
ladro, *n.*, robber
lampo, *n.*, flash of lightning
lana, *n.*, wool
landa, *n.*, moor
languido, *adj.*, weak, faint
latte, *n.m.*, milk
lavveggio, *n.*, pot
leggio, *n.*, lectern
letizia, *n.*, joy
libeccio, *n.*, south-west wind
liccio, *n.*, weft
lieve, *adj.*, light
lodare, to praise
loto, *n.*, mud, mire
luccichio, *n.*, shining, glitter
lucerna, *n.*, lamp
lucertola, *n.*, lizard
lumino, *n.*, little lamp
lupa, *n.*, a disease of certain trees
lupina, *n.*, sainfoin
lusco, *adj.*, near-sighted
lustrare, to gleam, shine (of a polished surface)
lustro, *n.*, glittering

M

macerie, *n.f.*, rubbish (only used in the plural)
macero, *n.*, retting-pond
macola, *n.*, berry
madreselva, *n.*, honeysuckle
mancare, to be wanting, miss
mandare, to send
mandra, *n.*, flock, herd

maniero, *n.,* ancient, ruined castle

mannella, *n.,* skein of tow

manso, *adj.,* mild, gentle

marasca, *n.,* egriot, small sour cherry

marcio, *adj.,* rotten

marea, *n.,* tide

marrello, *n.,* mattock

marruca, *n.,* thornbush

martoro, *n.,* torture, grief

massaia, *n.,* housewife

masso, *n.,* block of stone in the ground

mazzetta, *n.,* stick, shoot

mazzo, *n.,* bunch

mazzo (usually **mazza**), *n.,* axe, hatchet

melo, *n.,* apple tree

melograno, *n.,* pomegranate

mescere, to pour out

messa, *n.,* sprout, shoot (here used collectively with plural meaning)

messe, *n.f.,* harvest

mesto, *adj.,* sad, gloomy

metatello, *n.,* small drying room

metato, *n.,* oast-house for chestnuts

midolla, *n.,* pith, marrow

miele, *n.m.,* honey

mietere, to reap, gather

mietitura, *n.,* harvest

mischia, *n.,* scuffle, conflict

mite, *adj.,* mild, gentle

molle, *adj.,* moist, soft, loose; *n.,* humidity

mondare, to peel, cleanse

mondina (**mondinella**), *n.,* boiled chestnut; chestnut suitable for peeling and boiling

mondo, *adj.,* pure

mora, *n.,* mulberry, blackberry

mortaretto, *n.,* little mortar, cracker

mostro, *n.,* monster

mucchio, *n.,* heap

mucido, *adj.,* mouldy

muco, *n.,* mucus

mugliare, to low

mura, *n.f.,* wall (the masculine gender is more used; *il muro, i muri,* but sometimes also *le mura*)

muraglia, *n.,* wall

muschio, *n.,* musk

musco, *n.,* moss

N

nebbia, *n.,* mist, fog

nebbione, *n.m.,* dense fog

nebulosa, *n.,* nebula

neccio, *n.,* chestnut-cake

nembo, *n.,* shower of rain, storm

nemico, *n.,* enemy; *adj.,* hostile

nettare, *n.m.,* nectar

netto, *adj.,* clear, shining

nidiata, *n.,* nestful, brood

noia, *n.,* trouble

novello, *n.,* new shoot

nuove, *n.,* news (always used in the plural)

nuvolaglia, *n.* (cf. **nuvola,** cloud), mass of clouds

O

oblio, *n.,* forgetfulness, oblivion

occulto, *adj.,* hidden

ombrarsi, to darken

ombreggiare, to shade

omero, *n.,* shoulder

onda, *n.,* wave

onde, whence

ondeggiare, to wave, undulate

ontano, *n.*, alder tree
orlo, *n.*, border, edge
orma, *n.*, trace
oscillare, to oscillate
ottuso, *adj.*, obtuse
ovina, *n.*, little egg
ozioso, *adj.*, idle

P

padiglione, *n.m.*, pavilion, tent
paglia, *n.*, straw
pago, *adj.*, satisfied
palancato, *n.*, fence
palmite, *n.m.*, vine-shoot, sprout
palo, *n.*, stake
pannello, *n.*, apron
pannocchia, *n.*, ear, head of maize
pappo, *n.*, the down contained in certain kind of seeds
parare, to ward off, protect from
pari, *adj.*, *n.m.*, equal; **al pari di,** like, as
pascere, to feed, nourish, graze
pascolo, *n.*, pasture
passagero, *n.*, traveller, passer-by
pastorella, *n.*, shepherdess
pencolare, to totter, hesitate
pendice, *n.f.*, slope, hillside
pennato, *n.*, billhook
pensiere, *n.m.*, little loop, attached to the spinner's breast, through which she puts the handle of the distaff
percossa, *n.*, stroke
percuotere, to strike; **percosso,** *adj.*, *p.p.*, struck, beaten
pero, *n.*, pear tree
persino, *adv.*, even

pesco, *n.*, peach tree
peso, *n.*, weight
pesta, *n.f.*, trace, footstep
pesto, *adj.*, pounded, crushed
pettinare, to comb
pettirosso, *n.*, robin redbreast
petto, *n.*, breast
piagare, to wound
piangere, to weep
picchiare, to knock, strike, beat; *v.* p. 87, note on l. 126
piccino, *adj.*, tiny, very small
piccone, *n.m.*, spear
piegare, to fold, bend
pietà, *n.*, filial affection, pity; *v.* p. 83, note on l. 182
pigna, *n.*, bunch (of grapes and similar things)
pino, *n.*, pine tree
pio, *adj.* (cf. Lat. *pius*), blessed, affectionate
pioppo, *n.*, poplar tree
pispillìo, *n.*, whispering
plaga, *n.*, region
podere, *n.m.*, farm
polla, *n.*, source, shoot (of tree)
polline, *n.m.*, pollen
pomo, *n.*, apple tree, apple
porca, *n.*, ridge (between furrows)
porpora, *n.*, purple
posare, to rest
potare, to prune
preda, *n.*, prey
premere, to press, be urgent
presepe, *n.m.*, crib; *v.* p. 91, note on l. 16
prigione, *n.m.*, prisoner
prillare, to twirl about
procacciare, to try to get, procure
procella, *n.*, storm at sea

prono, *adj.*; *v.* p. 88, note on l. 39

pugna, *n.*, battle

pulacchio, *n.*, chestnut burrs, empty and dried

pupilla, *n.*, pupil (of the eye)

Q

quercia, *n.*, oak

querulo, *adj.*, plaintive

R

rabbrividire, to shiver

radica (=radice), *n.*, root

radicare, to take root

radunare, to bring together

raggio, *n.*, ray, beam

ragnatela, *n.*, cobweb

rama, more usually **ramo,** *n.*, branch

rame, *n.m.*, copper

ramello, *n.*, small branch

rampicare, to climb

rampollare, to rise, well up

rana, *n.*, frog

rantolare, to rattle (in the throat)

rapito, *adj.*, *p.p.* (**rapire**), ravished

rastrelliera, *n.*, rack

ratratto, *adj.*, *p.p.* (**ratrarre**), contracted, shrunk

rattrappito, *adj.*, *p.p.* (**rattrappire**), paralysed

rauco, *adj.*, hoarse

ravvisare, to recognize

recare, to bring

recidere (*p.p.* **reciso**), to cut off

redo, *n.*, calf, veal

reggere, to govern, restrain

rena (= arena), *n.*, sand

reo, *adj.*, guilty, wicked

requie, *n.f.*, eternal rest

ribere, to drink again

ributto, *n.*, waste, something rejected

ricetto, *n.*, shelter, retreat

rifare (la via), to retrace one's steps

rimastico, *n.*, chewing the cud

rimbombare, to boom

rincalzare, to tuck up

rinverzicare, *v.*, to grow green again

ripiantare, to replant

risalire, to reclimb

risciacquare, *n.m.*, the roaring of the sea

riscintillamento, *n.*, sparkling again

riscoppiare, to burst forth, grow again

ritto, *adj.*, upright

riverberio, *n.*, reverberation, reflection

riversarsi, to pour out, run over

rivolgersi, to turn over

rocca, *n.*, distaff

roco, *adj.*, hoarse

roggio, *adj.*, reddish, rust-coloured

rogo, *n.*, bramble

romba (rombo), *n.*, rumble, buzz, droning, humming

rombare, to resound, rumble

ronzante, *adj.*, buzzing

ronzare, to rumble, hum

ronzìo, *n.*, buzzing

roso, *adj.*, *p.p.* (**rodere**), gnawed

rovinare, to fall to ruins

rovo, *n.*, bramble

rubare, to rob

rugiada, *n.*, dew

rumare, to rummage, make a noise

rupe, *n.f.*, crag, cliff
rusco (= **rusca**), *n.*, bark (of tree)
ruspare, to scrape, rummage for

S

saggina, *n.*, buckwheat
saggio, *n.*, trial
salcigno, *adj.*, freckled
saltimpalo, *n.*, stonechat
salvare, to save
sarmento, *n.*, vine twig
savio, *adj.*, wise
sazio, *adj.*, satiated
sbalzare, to leap
sbalzo, *n.*, bound, sudden movement
sbandare, to scatter
sbieco, *adj.*, aslant, oblique
sbocciare, to open, spring out
scagliarsi, to hurl oneself; *v.* p. 83, note on l. 4
scaldare, to warm
scalpiccìo, *n.*, trampling, sound of footsteps
scampanìo, *n.*, chime, ringing of bells
scarnito, *adj.*, lean
scegliere, to choose
scheggia, *n.*, chip, splinter
schiampa, *n.*, splinter, chip
schianto, *n.*, breaking, pang
schiappare, to split, chop up
schicciare (= **schiacciare**), to crush, squash
schiera, *n.f.*, band, troop
schioccare, to crack (like a whip)
schivare, to avoid
scialacquare (= **scialaquare**), to be lavish, waste, squander
scialbo, *adj.*, pale, whitewashed

sciame, *n.m.*, swarm (of bees)
scioglere, to loosen, liquefy, melt
scirocco, *v.* p. 83, note on l. 5
scisso, *adj.*, *p.p.* (**scindere**), divided, parted
scomparire, to disappear
scorrere, to run away, flow
scorza, *n.*, bark
scossare, to shake
scricchiolare, to creak, rustle
scrosciare, to crash, fall noisily, patter violently
sdutto, *adj.*, slender
segno, *n.*, sign, end; *v.* p. 86, note on l. 30
seguace, *adj.*, following
selce, *n.f.*, flint, stone
seme, *n.m.*, seed
sementa, *n.*, seed, sowing
seminìo, *n.*, quantity of scattered seed
sempiterno, *adj.*, everlasting; *n.*, everlasting flower
serbare, to guard, preserve, keep
sereno, *n.*, clear sky
serrare, to close, lock
sfacelo, *n.*, decay
sfare, to undo
sfarsi, to fall to pieces
sfiorare, to touch or tap lightly
sfoggio, *n.*, pomp, "showing off"
sfoggire, to be magnificently dressed
sfogliare, to turn pages
sgomento, *n.*, fright, dismay, amazement; *adj.*, dismayed, terrified
sgranare, to shell (peas), to remove from husk; *figur. of eyes*: open wide
sgrigiolare, to creak

sguazzare, to glide, slip away
sibilare, to hiss, whistle
sibilo, *n.*, whistling, hissing
siccome, as
siepe, *n.f.*, hedge
singhiozzare, to sob
singhiozzo, *n.*, sob
singulto, *n.*, sob, sigh
siziente, *adj.*, parched
smarrito, *adj.*, strayed, lost
smorto, *adj.*, pale, sallow
snello, *adj.*, nimble, lively
soave, *adj.*, mild, gentle, sweet
socchiudere, to half-close
soffio, *n.*, breath, wind
soglia, *n.*, threshold
sognare, to imagine
solcare, to furrow, plough
solco, *n.*, furrow
soletto, *adj.*, alone
solingo, *adj.*, solitary
solivo, *adj.*, sunny
sollecito, *adj.*, prompt, quick
sollevare, to lift up
somigliare, to resemble
sommesso, *adj.*, soft, low, quiet
sonaglio, *n.*, little bell
sonnecchiare, to be sleepy
sornacchiare, to snore (p. 60, l. 50 :
  to sleep)
sospeso, *adj.*, in suspense, surprised
sosta, *n.*, pause, repose
sostare, to pause
sovente, *adv.*, frequently
spandere, to shed, spread
sparuto, *adj.*, spare, lean
sparviero, *n.*, hawk
spavento, *n.*, fright, terror
spento, *adj.*, *p.p.* (**spegnere**),
  extinguished, exhausted, dead;
  (of lime) slaked

sperso, *adj.*, lost
spiccare, to detach, cut off
spiga, *n.*, ear of corn
spira, *n.*, coil
spoglia, *n.*, spoil, cast-off skin,
  corpse, fallen leaves
spolverio, *n.*, dusting
sporgere, to project
sprazzo, *n.*, sprinkling
sprillo (= **squillo**), *n.*, clang
sprizzare, to sprinkle, shoot out
spronfondarsi, to sink
spruzzare, to sprinkle
spuntare, to come into view
squama, *n.*, scale
squassare, to shake
squillare, to ring (high clear
  notes)
squittire, to yelp
staccare, to separate, stand apart
state (= **estate**), *n.f.*, summer
stecco, *n.*, thorn
stelo, *n.*, stem
stento, *n.*, want, pain
sterpeto = luogo pien di sterpi;
  v. p. 84, note on l. 2
stiglia, *n.*, splinter, chip
stilla, *n.*, drop
stioccare, to split; (= **frusciare**),
  to rustle
strame, *n.m.*, fodder, litter, straw
strappato, pulled out
strappo, *n.*, wrench, violent
  plucking
strascicare, to drag after, crawl
stretto, *adj.*, *p.p.* (**stringere**),
  drawn close together; narrow
stridere, to shriek, creak
stridio, *n.*, creaking
strido, *n.*, shriek
stridulo, *adj.*, shrill, piercing, noisy

strillare, to shriek
strillo, n., shriek
stringere, to bind
strino, n., disease of the vine (Peronospera)
subito, adj., sudden, quick, prompt
succhiare, to suck
succhio, n., juice, sap
suco, n., juice
sudore, n.m., sweat
suolo, n., ground
suscitare, to arouse, excite
susino, n., plum tree
sussurro, n., whisper
sveglia, n., réveillé, awakening
svelare, to unveil, reveal
svellere, to root out, uproot, detach
svelto, adj., quick, ready
svincolo, n., twisting
svolo, n., flapping

T

tacito, adj., silent
taciturno, adj., silent
tagliare, to cut
tana, n., den, hovel
tardino, adj., late
tarlo, n., wood-worm
tarmolo, n., the dust of worm-eaten wood
tegola, n., tile
tendere, to stretch
tenebra, n., darkness
tentennare, to shake
tenzonare, to fight
tiglia, n., fibre; the tough fibrous substance constituting wood
tiglio, n., linden tree
tignuola, n., small moth
tinnire, to tinkle

tino, n., tub
tintinno, n., tinkling
titimalo, n., caper-spurge (Euphorbia)
togliere, to take away
tondo, adj., round, (of eyes) wide open
tordo, n., thrush
tralucere, to shine, glitter
trama, n., woof, weft, padding, stuffing
tramato, adj., p.p. (tramare), woven
tramontano, n., north wind
tramonto, n., sunset
trarre, to bring, draw
trascorrere, to flow on, pass by, forget
trastullare, to sport
trastullo, n., sport, game
trave, n.f., beam
travicello, n., small beam, joist
trebbiare, to thresh
tremare, to tremble, shiver
tremolio, n., quivering
trepido, adj., agitated, quickly moved (as in trembling)
tribbiare, v. trebbiare
tristo (-e), v. p. 85, note on l. 43
tritare, to hash, mince
trito, adj., crumbled
truce, adj., savage, ferocious, cruel
tuffare, to plunge
tugurio, n., hut, cottage
turbino, n., whirlwind

U

uggiolio, n., the plaintive voice of the dog
uggito, adj., p.p. (uggire), annoyed

ulivo, *n.,* olive tree
ululare, to howl
ululo, *n.,* shrieking, howl
umido, *adj.,* damp
uncino, *n.,* hook
urlo, *n.,* howl
urna, *n.,* (funeral) urn
urtare, to knock
urto, *n.,* shock

V

vacchina, *n.,* little cow
vagare, to wander
vagito, *n.,* infant's cry, bleat
vagolare, *as n.m.,* wandering about
vampa, *n.,* blaze, fierce flame
vanga, *n.,* spade
varcare, to pass through
vegliare, to watch, sit up with, watch over
velame, *n.m.,* veil, thin covering
velato, *adj., p.p.* (**velare**), concealed, veiled, muffled
vena, *n.,* source; oats
ventare, to be windy, blow upon
verdiccio, *adj.,* greenish
verga, *n.,* rod, wand
vergine, *adj.,* free, pure; *n. f.,* girl
vermella, sprig

vermena, *n.,* thin and young branch
verno, *n.,* winter
vertigine, *n.f.,* vertigo, dizziness
verzicare, to become green again
vespro, *n.,* evening
vetro, *n.,* window pane
vetta, *n.,* twig
viale, *n.m.,* avenue of trees
vietare, to prohibit, forbid
villoso, *adj.,* hairy
vilucchio, *n.,* bindweed
vinciglio, *n.,* bond, tie; bundle of leafy branches
vinetto, *n.,* light wine
vischio, *n.,* mistletoe
vite, *n.f.,* vine
vitreo, *adj.,* glassy
vizzato, *n.,* kind of vine
volgere, to turn
volto, *n.,* face
vomero, *n.,* ploughshare

Z

zampogna, *n.,* bagpipe
zanzara, *n.,* mosquito
zeppola, *n.,* wedge
zoccolo, *n.,* brogue
zolla, *n.,* clod of earth
zucca, *n.,* pumpkin

CAMBRIDGE: PRINTED BY W. LEWIS, M.A., AT THE UNIVERSITY PRESS